ВНИМАНИЕ! С...
Книга, которая перевернет ваше сознание!

«ТРАНСЕРФИНГ РЕАЛЬНОСТИ»
Вадима Зеланда

спрашивайте в магазинах

ТРАНСЕРФИНГ

РЕАЛЬНОСТИ

Пространство вариантов

ступень I

Вадим Зеланд

Санкт-Петербург
Издательская группа «Весь»
2005

УДК 159.9
ББК 86.30
З48

Зеланд Вадим

З48 Трансерфинг реальности. Ступень I: Пространство вариантов. — СПб.: ИГ «Весь», 2005. — 224 с. — (*Трансерфинг реальности*).

ISBN 5-9573-0645-2

«Пространство вариантов» — это первая книга трилогии Вадима Зеланда «Трансерфинг реальности». Речь в ней идет об очень странных и необычных вещах. Это настолько шокирует, что не хочется верить. Но вера и не потребуется — вы сами во всем убедитесь. Только будьте готовы к тому, что после чтения ваше привычное мировоззрение рухнет, ведь книга несет ошеломляющие своей дерзостью идеи.

Трансерфинг — это мощная техника, дающая власть творить невозможные, с обыденной точки зрения, вещи, а именно — управлять судьбой по своему усмотрению. В основе Трансерфинга лежит *модель вариантов* — принципиально новый взгляд на устройство нашего мира. Это I ступень Трансерфинга и первые шаги мага. Человек не знает о том, что может не добиваться, а просто получать желаемое. Вы испытаете непередаваемые чувства, когда обнаружите у себя способности, о которых и не подозревали. Это подобно ощущению свободного падения — невероятное имеет такую ошеломляющую дерзость превращаться в реальность, что просто дух захватывает!

Для широкого круга читателей.

УДК 159.9
ББК 86.30

ISBN 5-9573-0645-2

СОДЕРЖАНИЕ

ПРЕДИСЛОВИЕ

Дорогой Читатель!

Вы, несомненно, как и все люди, хотите жить комфортно, в достатке, без болезней и потрясений. Однако жизнь распоряжается по-другому и крутит вами, как бумажным корабликом в бурном потоке. В погоне за счастьем вы уже испробовали немало известных способов. Много ли вам удалось добиться в рамках традиционного мировоззрения?

В этой книге идет речь об очень странных и необычных вещах. Все это настолько шокирует, что не хочется верить. Но ваша вера и не потребуется. Здесь приводятся методы, с помощью которых вы сможете все проверить сами. Вот тогда ваше привычное мировоззрение рухнет.

Трансерфинг — это мощная техника, дающая вам власть творить невозможные, с обыденной точки зрения, вещи, а именно — управлять судьбой по своему усмотрению. Никаких чудес не будет. Вас ожидает нечто большее. Вам предстоит убедиться, что неизвестная реальность намного удивительней любой мистики.

Есть много книг, которые обучают, как добиться успеха, стать богатым, счастливым. Перспектива заманчивая, кто же этого не хочет, но открываешь такое издание, а там какие-то упражнения, медитации, работа над собой. Сразу становится тоскливо. Жизнь и так сплошной экзамен, а тут предлагают снова напрягаться и что-то из себя выдавливать.

Вас уверяют, что вы несовершенны, а потому должны измениться, иначе рассчитывать не на что. Возможно, вы не вполне довольны собой. Но в глубине души вам вовсе не хочется себя менять. И правильно не хочется. Не верьте никому, кто говорит, что вы несовершенны. Кто может знать, какими вам следует быть? Не нужно себя менять. Выход совсем не там, где вы его ищете.

Мы не будем заниматься упражнениями, медитациями и самокопанием. Трансерфинг — это не новая методика самосовершенствования, а принципиально иной способ мыслить и действовать так, чтобы получать желаемое. Не добиваться, а именно получать. И не изменять себя, а возвращаться к себе.

Все мы совершаем в жизни много ошибок, а потом мечтаем о том, как было бы здорово вернуть прошлое и все исправить. Я вам не обещаю «в детство плацкартный билет», но ошибки можно исправить, причем это будет похоже на возврат в прошлое. Даже, скорее всего, «вперед в прошлое». Смысл этих слов станет понятен только к концу книги. Вы не могли нигде слышать или читать о том, что я собираюсь рассказать. Поэтому готовьтесь к неожиданностям, насколько удивительным, настолько и приятным.

Глава I

МОДЕЛЬ ВАРИАНТОВ

В этой главе дается теоретическое введение в Трансерфинг. Концептуальной базой Трансерфинга является модель вариантов — принципиально новый взгляд на устройство нашего мира. Человек не знает о том, что может не добиваться, а просто получать желаемое. Почему такое возможно?

Мечты не сбываются.

Шелест утренних звезд

Я проснулся от лая соседской собачки. Гнусная тварь, она всегда меня будит. Как я ее ненавижу! Почему я должен пробуждаться именно от звуков, которые издает это гадкое отродье? Надо пойти прогуляться, успокоиться и как-то отвлечься от острого желания поджечь соседский дом. Какая собачка, такие и хозяева. Вечно в мою жизнь вползают какие-то гады и стараются меня достать. Нервно одеваюсь. Опять куда-то запропастились мои тапки. Где вы, изворотливые ублюдки? Найду — выброшу!

На улице туман, сырость. Я шел по скользкой тропинке через угрюмый лес. Почти все листья уже опали, обнажив серые стволы полумертвых деревьев. Почему я живу посреди этого мрачного болота? Достаю сигарету. Вроде не хочется курить, но старая привычка говорит, что надо. Надо? С каких это пор сигарета стала для меня обязанностью? Да, довольно противно курить утром, на голодный желудок. Это раньше, в веселой компании, сигарета доставляла удовольствие, была неким символом моды, свободы, стильности. Но праздники кончаются, и наступают дождливые серые будни с лужами вязких проблем. И каждую проблему по несколько раз заедаешь сигаретой, словно говоришь себе: вот сейчас покурю, отдышусь и снова окунусь в эту опостылевшую рутину.

Дым от сигареты попал мне в глаза, и я на минуту закрыл их руками, будто обиженный ребенок. Как все надоело. И тут, словно в подтверждение моих мыслей, ветка березы, коварно изогнувшись, больно ударила меня по лицу. Сволочь! Я в бешенстве сломал ее и швырнул в сторону. Она повисла на дереве и начала раскачиваться и подпрыгивать, как паяц, будто демонстрируя все мое бессилие что-либо изменить в этом мире. Я уныло побрел дальше.

Всякий раз, когда я пытался бороться с этим миром, он сначала поддавался, обнадеживая, а потом закатывал мне хороший щелчок по носу. Это только в кино герои идут к цели, сметая все на своем пути. В действительности происходит иначе. Жизнь похожа на игру в рулетку. Сначала выигрываешь раз, другой, третий. Воображаешь себя победителем, и уже кажется, что весь мир у тебя в кармане, но в конечном итоге всегда остаешься в проигрыше. Ты всего лишь праздничный гусь, которого откармливают, чтобы потом зажарить и съесть под звуки веселой музыки и смеха. Ты ошибся, это не твой праздник. Ты ошибся...

Так, барахтаясь в этих невеселых мыслях, я вышел к морю. Маленькие волны злобно кусали песчаный берег. Море недружелюбно дуло на меня холодной сыростью. Жирные чайки лениво ходили по берегу и клевали какую-то гниль. В их глазах была холодная черная пустота. Там будто отражался весь окружающий меня мир, такой же холодный и враждебный.

Какой-то бомж собирал на берегу пустые бутылки. Топал бы ты отсюда, чмо болотное, я хочу побыть один. Нет, кажется, направляется ко мне — наверное, будет клянчить. Пойду-ка я лучше домой. Нигде нет покоя. Как я устал. Эта усталость всегда со мной, даже когда я отдыхаю. Я живу, словно отбываю срок заключения. Кажется, что вот скоро должно все измениться, начнется новый этап, и тогда я стану другим и смогу радоваться жизни. Но это все в будущем. А пока все та же унылая каторга. Все жду, а будущее так и не наступает. Сейчас я, как обычно, съем безвкусный завтрак и отправлюсь на свою скучную работу, где буду опять выдавливать из себя результаты, которые нужны кому-то, но не мне. Еще один день обременительной и бессмысленной жизни...

Я проснулся от шелеста утренних звезд. Что это за унылый сон мне приснился? Словно вернулся какой-то осколок моей прежней жизни. Хорошо, что это всего лишь сон. Я с облегчением потянулся, как это делает мой кот. Вот он, лентяй, лежит себе, развалясь, и только ушами показывает, что осведомлен о моем присутствии. Вставай, усатая морда. Пойдешь со мной гулять? Я заказал себе солнечный день и отправился к морю.

Тропинка шла через лес, и шелест утренних звезд постепенно растворился в разноголосом хоре птичьего народа. Особенно кто-то старался там, в кустах: «Корм! Корм!» А, вот он, негодник. Маленький пушистый комочек, как тебе удается так громко верещать? Удивительно, мне раньше не приходило в голову: у всех птиц совершенно разные голоса, но ни один не вступает в диссонанс с общим хором, и всегда получается такая стройная симфония, которую не сможет воспроизвести никакой искусный оркестр.

Солнце протянуло свои лучи между деревьями. Эта волшебная подсветка оживила объемную глубину и сочность красок, превратив лес в чудесную голограмму. Тропинка заботливо вывела меня к морю. Изумрудные волны тихо перешептывались с теплым ветром. Берег казался бескрайним и пустынным, но я ощущал уют и спокойствие, как будто этот перенаселенный мир специально для меня выделил укромный уголок. Кое-кто считает окружающее пространство иллюзией, которую создаем мы сами. Ну нет, у меня не хватит самомнения утверждать, что вся эта красота является лишь порождением моего восприятия.

Еще находясь под гнетущим впечатлением сновидения, я начал вспоминать свою прежнюю жизнь, которая в самом деле была именно такой унылой и беспросветной. Очень часто я, как и многие другие, пытался требовать от этого мира то, что мне якобы причитается. В ответ мир равнодушно отворачивался. Советники, умудренные опытом, говорили мне, что он так просто не поддается, его надо завоевать. Тогда я пытался бороться с ним, но так ничего и не достиг, а только выбился из сил. Советники и на этот случай имели готовый ответ: ты сам плохой, сначала сам изменись, а затем требуй чего-то от мира. Я пробовал бороться с собой, но оказалось, что это еще труднее.

Но вот однажды мне приснился сон, как будто я оказался в природном заповеднике. Меня окружала непередаваемая красота. Я ходил и восхищался всем этим великолепием. Тут появился сердитый старик с седой бородой — как я понял, Смотритель заповедника. Он стал молча наблюдать за мной. Я направился к нему и только открыл рот, как он резко осадил меня. Холодным тоном он сказал, что слышать ничего не желает, что устал от капризных и жадных посетителей, которые вечно недовольны, постоянно чего-то требуют, громко шумят и оставляют после себя горы мусора. Я с пониманием кивнул и отправился дальше.

Уникальная природа заповедника просто ошеломила меня. Почему я раньше здесь не бывал? Как завороженный, я шел без определенной цели и глазел по сторонам. Совершенство окружающей природы невозможно было адекватно выразить никакими словами. Поэтому в голове была какая-то восторженная пустота.

Вскоре передо мной снова появился Смотритель. Суровое выражение его лица несколько смягчилось. Он знаком предложил мне следовать за ним. Мы поднялись на вершину зеленого холма, и нам открылся вид на долину удивительной красоты. Там располагалось какое-то поселение. Игрушечные домики утопали в зелени и цветах, словно показывая иллюстрацию к волшебной сказке. На всю эту картину можно было бы смотреть с умилением, если б она не казалась какой-то нереальной. У меня возникло подозрение, что такое может быть только во сне. Я вопросительно взглянул на Смотрителя, но он только ухмыльнулся в бороду, словно хотел сказать: «То ли еще будет!»

Мы спускались в долину, когда я начал осознавать, что не помню, как попал в заповедник. Мне захотелось получить от старика хоть какие-нибудь объяснения. Кажется, я сделал неуклюжее замечание о том, что, вероятно, неплохо себя чувствуют те счастливчики, которые могут себе позволить жить среди такой красоты. На что он раздраженно ответил: «А кто тебе не дает быть в их числе?»

Я завел заезженную пластинку о том, что не каждый рождается в роскоши и никто не может распоряжаться своей судьбой. Смотритель оставил мои слова без внимания и сказал: «В том-то и дело, что каждый человек свободен выбирать себе *любую* судьбу. Единственная свобода, которой мы располагаем, — это свобода выбора. Каждый может выбирать все, что захочет».

Такое суждение никак не укладывалось в мои представления о жизни, и я начал было возражать. Но Смотритель даже не захотел слушать: «Глупец! У тебя есть право выбирать, но ты им не пользуешься. Ты просто не понимаешь, что это означает — *выбирать*». Бред какой-то, не унимался я. Как это я могу выбирать все, что захочу? Можно подумать, в этом мире все дозволено. И вдруг я осознал, что это всего лишь сон. Озадаченный, я не знал, как мне себя вести в такой странной ситуации.

Насколько мне не изменяет память, я намекнул старику, что во сне, как, впрочем, и наяву, он волен нести всякую чушь, вот в этом и заключается вся его свобода. Но, похоже, это замечание нисколько не задело Смотрителя, и он только рассмеялся в ответ. Осознавая всю нелепость ситуации (зачем ввязался в дискуссию с персонажем своего же сновидения?), я уже начал раздумывать, не лучше ли мне проснуться. Старик как будто угадал мои мысли. «Ну, хватит, у нас мало времени, — сказал он. — Я не ожидал, что они подошлют мне такого кретина, как ты. И все же мне придется выполнить свою миссию».

Я было начал его расспрашивать, что это за «миссия» и кто такие «они». Мои вопросы он проигнорировал, а задал свою, как мне тогда показалось, дурацкую загадку: «*Каждый человек может обрести свободу выбирать все, что захочет. Вот тебе загадка: как получить эту свободу? Если отгадаешь, твои яблоки упадут в небо*».

Какие еще яблоки? Я уже начал терять терпение и сказал, что не собираюсь ничего разгадывать, — это только во сне и в сказках возможны всякие чудеса, а в реальности яблоки в конечном итоге всегда падают на землю. На что он ответил: «Довольно! Идем, я должен тебе кое-что показать».

Проснувшись, я с сожалением осознал, что не помню продолжение сна. Однако у меня оставалось ясное ощущение, будто Смотритель вложил в меня какую-то информацию, которую я был не в состоянии выразить словами. В памяти отпечаталось лишь одно непонятное слово — *Трансерфинг*. Единственная мысль, которая вертелась у меня в голове, была о том, что нет необходимости самому благоустраивать свой мир — все уже давно создано без моего участия и для моего же блага. Не следует также бороться с миром за место под солнцем — это наименее эффективный способ. Оказывается, мне никто не запрещает просто *выбирать* для себя тот мир, в котором я хотел бы жить.

Поначалу такая идея показалась мне абсурдной. И я бы, скорее всего, забыл про этот сон, но вскоре, к своему великому удивлению, обнаружил: в памяти начали проявляться совершенно ясные воспоминания о том, что Смотритель понимал под словом *выбирать* и как это делать. Решение Загадки Смотрителя пришло само собой, как знания ниоткуда. Каждый день мне открывалось что-то новое, и я всякий раз испытывал грандиозное удивление, граничащее с испугом. Я не в состоянии рационально объяснить, откуда взялись все эти знания. Только одно могу утверждать с полной уверенностью: в моей голове не могло родиться ничего подобного.

С тех пор как я открыл для себя Трансерфинг (точнее, мне позволили это сделать), моя жизнь наполнилась новым радостным смыслом. Каждый, кто хоть раз занимался каким-нибудь творчеством, знает, какую радость и удовлетворение приносит произведение, созданное своими руками. Но это ничто в сравнении с процессом творения своей судьбы. Хотя термин «творение судьбы» в его обычном смысле здесь не совсем подходит. Трансерфинг — это способ выбирать свою судьбу буквально, как товар в супермаркете. О том, что все это означает, я и хочу рассказать. Вы узнаете, почему яблоки могут «падать в небо», что такое «шелест утренних звезд», а также о многих других очень необычных вещах.

Загадка Смотрителя

Имеются разные подходы к интерпретации судьбы. Один из них состоит в том, что судьба — это рок, нечто предопределенное заранее. Как ни крутись, от судьбы не уйдешь. С одной стороны, такая трактовка угнетает своей безысходностью. Выходит, если человеку попалась судьба не самого высокого сорта, то никакой надежды на улучшение не предвидится. Но, с другой стороны, всегда находятся люди, которых такое положение вещей устраивает. Ведь это удобно и надежно, когда будущее более-менее предсказуемо и не пугает своей неизвестностью.

И все же фатальная неизбежность рока в таком понимании вызывает чувство неудовлетворенности и внутреннего протеста. Человек, обделенный удачей, сетует на свою судьбу: почему жизнь так несправедлива? Один имеет все в избытке, а другой постоянно испытывает нужду. Одному все дается легко, а другой крутится как белка в колесе и все безрезультатно. Одного природа наделяет красотой, умом и силой, а другой, не понятно за какие грехи, всю жизнь носит на себе ярлык второго сорта. Отчего же такое неравенство? Почему жизнь, не имеющая границ в своем многообразии, накладывает какие-то ограничения на определенные группы людей? Чем провинились те, менее удачливые?

Обделенный человек чувствует обиду, если не возмущение, и пытается найти для себя какое-то объяснение такого положения вещей. И тогда появляются всевозможные учения, наподобие кармы за грехи в прошлых жизнях. Можно подумать, Господь Бог только тем и занимается, что воспитывает своих нерадивых детей, но даже при всем своем могуществе испытывает затруднения с этим самым процессом воспитания. Вместо того чтобы наказывать за грехи при жизни, Бог почему-то откладывает возмездие на потом, хотя какой смысл наказывать человека за то, чего он не помнит.

Есть и другая версия неравенства, обнадеживающая тем, что нуждающиеся и страдающие сейчас получат щедрое возмещение, но опять же то ли где-то на небесах, то ли в какой-нибудь следующей жизни. Как бы там ни было, подобные объяснения не могут полностью удовлетворять. Существуют эти прошлые и будущие жизни или нет, практически неважно, потому что человек помнит и осознает только одну, вот эту жизнь, и в данном смысле она у него единственна.

Если верить в предопределенность судьбы, тогда лучшим средством от тоски будет смирение. И опять находятся новые объяснения типа: «Хочешь быть счастливым — будь им». Оставайся оптимистом и довольствуйся тем, что имеешь. Человеку дают понять: он несчастлив, потому что вечно недоволен и слишком много хочет. А довольным следует быть по определению. Нужно радоваться жизни. Человек вроде бы соглашается, но в то же время ему как-то неловко встречать с радостью серую действительность. Неужели он не имеет права хотеть чего-то большего? Зачем принуждать себя радоваться? Ведь это все равно что заставлять себя любить.

Кругом вечно суетятся какие-то «просветленные» личности, которые призывают ко всеобщей любви и прощению. Можно натянуть на себя эту иллюзию, как одеяло на голову, чтобы напрямую не сталкиваться с суровой реальностью, и тогда в самом деле становится легче. Но в глубине души человек так и не может постичь, почему он должен заставлять себя прощать тех, кого он ненавидит, и любить тех, к кому он равнодушен. Какой ему от этого прок? Получается не естественное, а вымученное счастье. Как будто радость должна приходить не сама, а нужно ее из себя выдавливать, словно пасту из тюбика.

Конечно, находятся люди, которые не верят в то, что жизнь настолько скучна и примитивна, что сводится к одной предопределенной судьбе. Они не хотят довольствоваться тем, что имеют, и предпочитают радоваться достижениям, а не данности. Для таких людей имеется другая концепция судьбы: «Человек сам кузнец своего счастья». Ну а за счастье, как известно, надо бороться. А как же иначе? «Знающие» люди скажут, что ничего так просто не дается. Казалось бы, факт неоспоримый: если не желаешь принимать счастье таким, каким оно тебе дано, значит, надо работать локтями и добиваться своего.

Поучительные истории свидетельствуют о том, как герои мужественно сражались и самоотверженно трудились день и ночь, преодолевая немыслимые препятствия. Победители добывали лавры успеха, только пройдя через все тяготы и лишения упорной борьбы. Но и здесь не все ладно. Сражаются и трудятся миллионы, а подлинного успеха добиваются лишь единицы. Можно всю жизнь потратить на отчаянную борьбу за место под солнцем, но так ничего и не добиться. Что же она, эта жизнь, такая жестокая и несговорчивая?

Какая это тягостная необходимость — бороться с миром и добиваться своего. А если мир не поддается, значит, необходимо бороться с собой. Если ты такой бедный, больной, некрасивый, несчастный — значит, сам виноват. Ты сам несовершенен, а потому обязан измениться. Человек ставится перед фактом, что он изначально представляет собой скопление недостатков и пороков, над которыми надо усиленно работать. Унылая картина, не правда ли? Выходит, если человеку сразу не повезло и он не родился богатым и счастливым, тогда его удел — либо смиренно нести свой крест, либо всю жизнь посвятить борьбе. Как-то не лежит душа радоваться такой жизни. Неужели во всей этой безысходности нет никакого просвета?

И все же выход имеется. Выход настолько простой, насколько и приятный, в отличие от всех вышеперечисленных, потому что он лежит совсем в другой плоскости. Концепция судьбы в Трансерфинге базируется на принципиально иной модели мира. Не спешите разочарованно махать руками и восклицать, что вам пытаются всучить какую-то очередную химеру. Согласитесь, ведь каждая из известных концепций судьбы строится на определенном мировоззрении, которое, в свою очередь, базируется на некоторых недоказуемых отправных точках.

Например, материализм основан на утверждении, что материя первична, а сознание вторично. Идеализм утверждает прямо противоположное. Ни то ни другое утверждение не доказуемо, тем не менее на их основании строятся модели мира, каждая из которых очень убедительна и находит себе преданных защитников. Оба направления в философии, науке и религии объясняют этот мир по-своему, и они по-своему правы и не правы. Мы никогда не сможем описать совершенно точно абсолютную истину, потому что понятия, которыми мы пользуемся, сами по себе относительны. В известной притче о трех слепцах рассказывается, как один из них ощупал хобот слона, другой ногу, третий ухо, а затем каждый вынес свое суждение о том, что из себя представляет это животное. Поэтому доказывать, что одно описание единственно верно, а другое нет — совершенно бессмысленно. Главное, чтобы это описание работало.

Вам, наверно, знакома известная идея о том, что реальность — есть иллюзия, которую создаем мы сами. Хотя никто толком не объяснил, откуда эта иллюзия берется.

Выходит, все мы смотрим «кино»? Это, конечно, весьма сомнительно, но в определенном смысле разумное зерно здесь имеется. Существует и другое мнение, что все совсем наоборот, — материальный мир является лишь механизмом, действующим по жестким законам, и наше сознание здесь ничего определять не может. И в этом тоже есть неоспоримая доля истины.

Но человеческий разум так устроен, что стремится иметь под ногами твердую почву, лишенную неоднозначности. Так и хочется разгромить в пух и прах одну теорию и возвести на пьедестал другую, чем, собственно, и занимаются ученые на протяжении тысячелетий. После каждого сражения за истину на поле битвы остается не поверженным только один факт: *любая теория представляет лишь отдельный аспект проявления многогранной реальности*.

Каждая теория подтверждается временем, а потому имеет право на существование. Любая концепция жизни также работает. Если вы для себя решили, что судьба — это что-то предопределенное, чего вы не в состоянии изменить, значит, так и будет. В таком случае вы добровольно отдаете себя в чужие руки, неважно чьи, и становитесь корабликом, плывущим по воле волн. Если же вы считаете, что сами творите свою судьбу, то сознательно берете ответственность за все, что происходит в вашей жизни, на себя. Вы боретесь с волнами, пытаясь управлять своим корабликом. Обратите внимание, что происходит: *ваш выбор всегда реализуется. Что выбираете, то и получаете*. Какое бы мировоззрение вы ни выбрали, правда будет на вашей стороне. А другие будут с вами спорить именно потому, что и они тоже правы.

Если какой-либо феномен проявления реальности взять за начало отсчета, тогда из него можно вывести целую отрасль знания. И это знание будет внутренне непротиворечивым, оно станет с успехом отражать одно из проявлений реальности. Для основания целого знания достаточно взять лишь один или несколько фактов, которые не до конца понятны, но все же имеют место.

Например, квантовая физика базируется на нескольких недоказуемых истинах — постулатах. Недоказуемы они потому, что сами служат изначальной, отправной точкой знания. Объект микромира в квантовой физике ведет себя в одних случаях как частица, а в других — как волна. Ученые не смогли однозначно интерпретировать такой дуализм, поэтому просто приняли его как данное, то есть в качестве аксиомы. Постулаты квантовой физики примиряют многообразие форм проявления реальности так, как если бы слепцы договорились, что слон в одном случае ведет себя как столб, а в другом — как змея.

Если при описании объекта микромира выбрать его свойство частицы в качестве основного, тогда получится модель атома, которую построил известный физик Нильс Бор. В данной модели электроны вращаются вокруг ядра наподобие планет в Солнечной системе. Если же в качестве основного свойства выбрать волну, тогда атом будет похож на размытое пятно. Как одна, так и другая модель работает, отражая отдельные формы проявления реальности. Опять выходит, что *мы получаем то, что выбираем*.

Вообще, любое проявление может служить постулатом, отправной точкой отрасли знания, которое, безусловно, будет работать и иметь право на существование. В своей погоне за истиной люди всегда стремились понять природу мира, изучая его отдельные аспекты. Массивы научных знаний создавались как описания и объяснения тех или иных природных явлений. Так возникли отдельные отрасли знания, часто вступающие между собой в противоречие.

Природа мира едина, но постоянно демонстрирует разные обличья. Не успеют люди как следует рассмотреть и объяснить одно лицо, как тут же появляется другое, которое никак не согласуется с предыдущим. Ученые делают попытки объединить различные проявления реальности, чтобы устранить противоречия, однако это удается с трудом. Имеется лишь один единственный, не подлежащий сомнению факт, который объединяет и примиряет все отрасли знания — многообразие и многогранность форм проявления реальности. *Многовариантность нашего мира является его первейшим фундаментальным свойством.*

Увлеченные попытками объяснить отдельные проявления, приверженцы различных отраслей знания почему-то обходят стороной именно данный факт. В самом деле, казалось бы, что отсюда еще можно извлечь? Многовариантность служит началом отсчета, подобно нулю на координатной сетке. Любые отправные точки различных отраслей знания по отношению к нему вторичны. Однако на саму изначальную точку не обращают внимания, словно она не содержит в себе никакой информации. И тем не менее информация имеется, причем весьма удивительная.

Для разрешения Загадки Смотрителя мы возьмем в качестве отправной точки именно свойство многовариантности. Другими словами, примем в качестве постулата тот факт, что *реальность имеет бесконечное многообразие форм проявления*. Несмотря на общий характер нашего постулата, мы убедимся, насколько интересное и неожиданное знание он открывает.

Начнем с того, что формы проявления реальности должны иметь источник, из которого берется все это многообразие. Где «записаны» все законы нашего мира? Он проявляет себя как движение материи в пространстве и времени. Это движение подчиняется определенным законам. Как вы знаете, точки располагаются на графике функции в соответствии с определенной математической формулой. Можно сказать, что законом движения точки на графике является определение функции. Но формулы, как и законы, — это абстрактные изобретения человеческого разума, созданные для удобства понимания. Весьма маловероятно, что природа где-то их хранит.

Каким еще образом можно фиксировать расположение точек на графике? Конечно, в виде бесконечно большого массива координат всех точек. Емкость памяти человека ограничена и не может справиться с огромным объемом. Но для природы бесконечность не проблема. Ей нет необходимости обобщать расположение и движение точек на графике в виде формулы. Если разбить линию функции на бесконечно малые точки, тогда каждую точку можно рассматривать как причину, а идущую за ней — как следствие. В результате любое движение материальной точки в пространстве и времени можно представить в виде бесконечно длинной непрерывной цепочки бесконечно малых причин и следствий.

В своем знании мы представляем движение материи в виде закона, а в природе это движение заложено в натуральной форме — как бесконечное множество причин и следствий. Грубо говоря, данные о всех возможных точках движения материи хранятся в неком поле информации, которое мы будем называть *пространством вариантов*. Оно содержит информацию обо всем, что было, есть и будет.

Пространство вариантов представляет собой вполне материальную *информационную структуру*. Это бесконечное поле информации, содержащее все возможные варианты любых событий, которые могут произойти. Можно сказать, в пространстве вариантов есть все. Мы не будем гадать, каким образом эта информация хранится, — для наших целей это не имеет значения. Важно лишь то, что *пространство вариантов служит шаблоном, координатной сеткой любого движения материи в пространстве и времени.*

В каждой точке пространства существует свой вариант того или иного события. Для облегчения понимания будем считать, что вариант состоит из *сценария* и *декораций*. Декорации — это внешний вид или форма проявления, а сценарий — путь, по которому движется материя. Для удобства можно разбить пространство вариантов на секторы. Каждый из них имеет свой сценарий и декорации. Чем больше расстояние между секторами, тем сильнее различия в сценариях и декорациях. Судьба человека также представлена множеством вариантов.

Теоретически не существует никаких ограничений на сценарии и декорации человеческого существования, поскольку пространство вариантов бесконечно. Любое малозначительное событие может повлиять на поворот судьбы. Жизнь человека, как и любое другое движение материи, представляет собой цепочку причин и следствий. Следствие в пространстве вариантов всегда расположено близко по отношению к своей причине. Одно следует за другим, поэтому секторы судьбы выстраиваются в *линии жизни*. Сценарии и декорации секторов на одной такой линии более-менее однородны. Жизнь человека течет размеренно по одному направлению до тех пор, пока не происходит событие, меняющее сценарий и декорации. Тогда судьба делает поворот и переходит на другую линию жизни.

Представьте, что вы посмотрели спектакль. На следующий день вы снова пришли в театр на тот же спектакль, но он шел уже с другими декорациями. Это близко расположенные линии жизни. В следующем театральном сезоне вы увидели спектакль с теми же актерами, но уже со значительными изменениями в сценарии. Эта линия жизни расположена уже дальше. И наконец, посмотрев ту же постановку в другом театре, вы увидели совсем иную интерпретацию пьесы. Эта линия жизни уже совсем далеко от той, первой.

Реальность проявляет себя во всем многообразии именно потому, что число вариантов бесконеч-

но. Любая отправная точка выливается в цепочку причинно-следственных связей. Выбрав начало отсчета, вы получаете ту или иную форму проявления реальности. Можно сказать, что реальность разворачивается по линии жизни в зависимости от выбранной точки отсчета. Каждый получает то, что выбирает. Вы имеете право выбирать именно потому, что бесконечность вариантов уже существует. Вам никто не запрещает выбрать себе судьбу по душе. Все управление судьбой сводится только к одной простой вещи — *сделать выбор*. Трансерфинг отвечает на вопрос, как это делать.

Итак, существует информационная структура, содержащая бесконечное множество потенциальных возможностей — вариантов, со своими сценариями и декорациями. Движение материальной реализации происходит в соответствии с тем, что заложено в этой структуре. Процесс движения материи через пространство вариантов можно продемонстрировать в виде следующего мысленного эксперимента.

Представьте себе трубку с водой. Вдоль трубки медленно перемещается охлаждающее кольцо так, что вода быстро замерзает только внутри кольца. Получается, кристалл льда перемещается по трубке с водой. Молекулы воды остаются примерно на одних и тех же местах в относительно свободном состоянии. В момент прохождения кольца молекулы внутри него фиксируются в замороженном кристалле определенной структуры, а потом вода в этом месте снова оттаивает, и молекулы освобождаются. Сам кристалл не двигается. Другими словами, в данном случае лед в воде не плывет. Перемещается не сам кристалл льда в трубке с водой, а структура, то есть замороженное состояние.

По аналогии вода в трубке — это пространство вариантов, а кристалл льда — материальная реализация вариантов. Молекулы — это люди, а их положение в структуре кристалла реализуется как вариант судьбы. Нет однозначного ответа на вопрос, аналогом чего является охлаждающее кольцо. Другими словами, каким образом и почему информационная структура превращается в материю? В микромире материя может проявлять себя как сгусток энергии. Известно, что в вакууме происходит непрерывный процесс рождения и уничтожения микрочастиц. Материя как бы есть, но в то же время она не имеет собственно материальной субстанции. Ясно лишь одно: то, что можно потрогать, имеет под собой неосязаемую энергетическую основу.

Надеюсь, я вас не очень утомил физикой. Пока что мы находимся только в отправной точке Трансерфинга. Но то, о чем вы узнаете из этой книги, может вас в определенной степени шокировать. Поэтому мне неизбежно приходится подводить хоть какое-то теоретическое обоснование, чтобы разум не терял почву под ногами. Так что прошу вас набраться еще немного терпения.

Морская волна может служить еще одной аналогией, иллюстрирующей реализацию в пространстве вариантов. Допустим, в результате землетрясения в море образовалась волна. Она перемещается по поверхности моря в виде горба, но сама вода при этом остается на месте. Двигается не масса воды, а реализация энергетического потенциала. Только возле берега вода выплескивается на сушу. Так же ведут себя и любые другие волны. В данной аналогии море — это пространство вариантов, а волна — материальная реализация.

Что же получается, с одной стороны, материальная реализация движется в пространстве и времени, а с другой — варианты остаются на месте и существуют вечно? Выходит, все было, есть и будет? А собственно, почему бы и нет? Время на самом деле так же статично, как и пространство. Течение времени ощущается только тогда, когда крутится кинопленка и кадры следуют друг за другом. Разверните кинопленку и посмотрите на все кадры вместе. Куда подевалось время? Все кадры существуют одновременно. Время статично до тех пор, пока мы не начинаем просматривать последовательно кадр за кадром. В жизни происходит именно так, поэтому в нашем сознании глубоко устоялась идея о том, что все приходит и уходит.

На самом деле все, что записано в поле информации, было там всегда и всегда останется. Линии жизни существуют как киноленты. То, что прошло, не исчезло, а осталось. То, что еще только будет, есть уже сейчас. Текущий отрезок жизни — это материальная реализация пространства вариантов на данном отрезке линии жизни.

Многие могут выразить свое возмущение вопросами: «Как такое возможно, что бесчисленное множество вариантов моей судьбы существует стационарно? Кому и зачем это может быть нужно? Богу? Природным законам? Почему?» Тогда попробуйте представить себе точку на координатной плоскости. Еще в школе нам предложили такую модель: точка на плоскости может иметь любые координаты икс и игрек. Заметьте, любые, причем от минус до плюс бесконечности. Почему же никому в голову не приходит задать вопрос: *почему* точка может иметь любые координаты? А теперь вообразите себе точку, которая, двигаясь по линии функции, удивляется: «Как это может быть, что мой пройденный путь существовал всегда и всегда будет? А как это может быть, что путь, который мне еще только предстоит пройти, уже предначертан?» Но вы-то смотрите на путь точки сверху, поэтому для вас тут нет ничего удивительного.

Пространство вариантов служит шаблоном, оно определяет, каким образом должна проявлять себя материальная реализация. Представьте себе темный лес и человека с фонариком. Человек идет по лесу и освещает вокруг себя небольшой участок. Реализация проявляется как пятно света. Весь темный лес — это пространство вариантов, а освещенный участок — реализация варианта на данном участке. Что же служит «подсветкой»? Другими словами, что «зажигает», то есть материализует вариант шаблона?

Для ответа на этот вопрос нам придется выбрать еще одну отправную точку. В наше время уже не подлежит сомнению тот факт, что мысли материальны. Реальность показывает нам себя в двух формах: с одной стороны, бытие определяет сознание, а с другой — имеются неоспоримые подтверждения обратного. Мысли являются не только мотивом к действиям человека, но и оказывают прямое воздействие на окружающую реальность. Например, наши худшие ожидания, как правило, сбываются. Конечно, можно спорить, что здесь имеет место не материализация мыслей, а предчувствие грядущих неприятностей. Действительно, в паранормальных явлениях много неясного и неоднозначного. Но это не значит, что данную форму проявления реальности можно игнорировать. Имеется множество фактов, подтверждающих непосредственное влияние мыслей на окружающую действительность.

Так или иначе, сознание человека формирует его судьбу. В данной книге речь идет именно о том, каким образом все это происходит. В качестве отправной точки мы возьмем следующее утверждение: *излучение мысленной энергии материализует потенциальный вариант.* Мы вполне вправе это сделать, поскольку реальность проявляет себя и в такой форме, в которой сознание определяет действительность. Подтверждением тому служат не только факты из обыденной жизни, но и опыты в квантовой физике. Для нас не имеет принципиального значения сам механизм взаимодействия мысленного излучения с пространством вариантов. До сих пор остается неясным, каким образом идет процесс передачи информации — на энергетической или какой-то другой основе. Для удобства мы будем просто полагать, что излучение мысленной энергии «подсвечивает» определенный сектор пространства вариантов, в результате чего вариант получает свое материальное воплощение. Излучение так же, как и сектор, имеет определенные параметры. Мысленное излучение находит свой сектор, вариант реализуется, и таким образом получается, что сознание определяет действительность.

Не следует только забывать о том, что это лишь одна из форм проявления реальности. Невозможно просто сидеть и одним лишь созерцанием формировать свою реальность. Хотя есть люди, которые могут в буквальном смысле выполнять материализацию предметов из воздуха. Но таких единицы, и они не афишируют свои способности. И все же мысли оказывают такое же сильное влияние на судьбу человека, как и его конкретные поступки. Люди привыкли к тому, что их действия влекут за собой видимые и легко объяснимые последствия. Влияние мыслей проявляется незаметно, а потому необъяснимо и непредсказуемо. Может показаться, что установить наглядную причинную связь между мыслями и последующими событиями довольно трудно. Но вскоре вам предстоит убедиться, что мысли человека формируют реальность совершенно непосредственным образом. Человек получает то, что сам выбирает.

Кто-то может возразить: «Выходит, что эти моря, горы, планеты, галактики — все является продуктом моего мысленного излучения?» Человеку иногда свойственно считать себя центром Вселенной. На самом деле он занимает лишь крошечную нишу в этом бесконечном пространстве. Наш мир населяет множество живых организмов, и *каждый вносит свой вклад в формирование реальности*. Каждое существо имеет свои параметры мысленного излучения. Если вам неуютно считать излучение растения мысленным, называйте его по-другому, суть от этого не меняется. Нельзя даже с уверенностью утверждать, что неживые предметы не имеют ничего подобного излучению живых организмов. Не говоря уже о Едином Духе, пронизывающем все сущее, которого мы называем Богом. Каждое существо имеет свое сознание и формирует слой своего мира. Можно сказать, что все в этом мире несет в себе частицу Бога, и таким образом Он управляет всем миром.

Каждый человек идет по своей линии жизни. И в то же время все люди живут в одном и том же мире. Материальный мир один на всех, но конкретная реализация для каждого человека своя. Допустим, вы турист и идете по прекрасному городу. Вы любуетесь достопримечательностями, восторгаетесь красотой архитектуры, видите цветочные клумбы, фонтаны, парковые аллеи, улыбающиеся лица преуспевающих горожан. В том месте, где вы проходите, возле урны, остановился бездомный. Он так же, как и вы, находится в том же мире, а не в другом измерении. И все-таки он видит совсем не то, что вы. Он видит пустую бутылку в урне, грязную стену, своего конкурента, который не успел к бутылке раньше и теперь думает, не отобрать ли, полицейского, скосившего подозрительный взгляд. Вы живете на одной линии жизни, а он на другой. Ваши линии жизни пересеклись в точке пространства вариантов, поэтому этот мир, как материальная реализация, един для вас обоих.

Все проявления материальной природы имеют под собой энергетическую основу. Поле энергии первично, все остальные физические проявления вторичны. Ученые пытаются объединить разные проявления энергии в рамках единой теории, и вскоре у них появятся результаты. Однако потом снова придется что-нибудь совмещать, поскольку число форм проявления реальности бесконечно. Не вдаваясь во все эти тонкости, рассмотрим энергию как некую абстрактную силу, которая невидима, но тем не менее объективно существует. Для наших целей вполне достаточно принять тот факт, что энергия мыслей человека вполне материальна. Энергия мыслей не крутится замкнуто в голове человека, а распространяется в пространстве и взаимодействует с окружающим энергетическим полем. Этот факт сейчас уже мало кто будет оспаривать.

Для удобства в качестве параметра мысленного излучения можно принять его частоту, подобно частоте радиоволн. Когда вы думаете о чем-либо, частота энергии ваших мыслей настроена на определенную область в пространстве вариантов. Когда энергия попадает в сектор пространства вариантов, возникает материальная реализация данного варианта. Энергия имеет сложную структуру и пронизывает все, что есть в этом мире. Проходя через тело человека, энергия модулируется мыслями и на выходе приобретает параметры, соответствующие этим мыслям. По такому же принципу работает радиопередатчик. Параметры энергии вбирают в себя характеристики мыслей. Таким образом, на выходе получается мысленное излучение, которое преобразует сектор пространства вариантов в материальную реализацию. Когда вы думаете о плохом или хорошем, вы излучаете энергию мыслей в пространство вариантов. Модулированная энергия накладывается на определенный сектор, и это вносит соответствующие изменения в вашу жизнь.

Жизненные обстоятельства формируются не только конкретными поступками, но и характером мыслей человека. Если вы настроены враждебно по отношению к миру, он будет отвечать вам тем же. Если вы постоянно выражаете свое недовольство, поводов для этого будет все больше. Если в вашем отношении к действительности преобладает негативизм, тогда мир будет поворачиваться к вам своей худшей стороной. И напротив, позитивное отношение будет самым натуральным образом изменять вашу жизнь к лучшему. Человек получает то, что выбирает. Такова реальность, нравится вам это или нет.

Пока ваши мысли более-менее однородны по направлению, вы находитесь на одной и той же линии жизни. Как только отношение к действительности меняется в ту или иную сторону, параметры мысленного излучения приобретают новые характеристики, и материальная реализация слоя вашего мира переходит на другую линию. Там события разворачиваются уже по другому сценарию, в соответствии с параметрами вашего излучения. Если сценарий по каким-то причинам неугоден, вы будете бороться, стараясь изменить ситуацию. Каждый, встречаясь с препятствиями, реагирует негативно, выражая недовольство или впадая в уныние. Ваше мысленное излучение перестраивается на линию, где препятствий становится еще больше. В результате выходит, что жизнь куда-то катится по наклонной плоскости.

Данный процесс кажется неуправляемым, но на самом деле именно вы своими мыслями направляете свою реализацию в проблемные области пространства вариантов. Вы считаете, что своими действиями преодолеваете препятствия. А на деле выходит, что получаете то, что выбрали сами. Выбираете борьбу с препятствиями — получаете их в избытке. Поглощены мыслями о проблемах — и они всегда присутствуют в вашей жизни. Вы направляете действия на изменение ситуации на текущей линии жизни, но не можете изменить сценарий в пространстве вариантов. Вы способны только *выбрать другой*. Пытаясь изменить неугодные моменты в сценарии, вы думаете именно о том, что вам не нравится. Тем самым ваш выбор успешно реализуется, и *вы получаете то, чего не хотите*.

На данной линии жизни невозможно что-либо изменить. Точно так же, находясь в картинной галерее, вы не можете убрать или перестроить экспозицию, которая вас не устраивает. Вы здесь не хозяин. Но никто не запрещает повернуться и перейти в другой зал, чтобы смотреть на то, что больше нравится. Конечно, переход на линию жизни, где каждый имеет по потребности, не происходит просто по желанию. Не все мысли подлежат реализации, и не все желания исполняются. И дело здесь не в содержании мыслей, а в их качестве. Просто мечта или желание — это еще не выбор. *Мечты не сбываются*. Необходимо выполнять определенные условия, о которых вы узнаете, прочитав эту книгу.

В пространстве вариантов имеется бесконечное множество линий судьбы для каждого человека. У нас нет оснований обижаться на свою судьбу, потому что нам дано право *выбирать*. Наша проблема лишь в том, что мы не умеем это делать. Мир проявляет себя во всем многообразии, он как будто создан для того, чтобы удовлетворять любые потребности. Каждый может найти здесь все, что душе угодно. Даже в различных направлениях знания он поворачивается к нам той стороной, которую мы хотим видеть. Например, идеализм утверждает, что мир — это иллюзия, и тот соглашается. Материализм утверждает обратное, и мир опять не имеет ничего против. Люди ссорятся между собой, навязывая друг другу свое отношение к миру, а мир показывает, что все они правы. Ну разве это не замечательно?! Пространство вариантов — это так называемые иллюзии, а материальная реализация — это то, что понимается под материальным миром. Мы всегда получаем то, что выбираем.

Кто знаком с принципами ислама, тот знает, что означают слова «судьба человека запечатлена в Книге». Имеется в виду, что судьба предначертана и от нее никуда не уйдешь. Подобные утверждения встречаются и в других религиях. Действительно, судьба человека уже предначертана. Ошибка религий состоит лишь в том, что вариант этой судьбы не один, а бесконечное множество. От судьбы не уйдешь. И это в какой-то степени верно, потому что нельзя изменить сценарий варианта. Бороться с окружающим миром за то, чтобы изменить свою судьбу, — очень трудное и неблагодарное занятие. Не стоит пытаться изменить сценарий — можно просто выбрать себе вариант по душе.

Конечно, все это весьма необычно и вызывает резонные сомнения. Но я и не рассчитывал на то, что вы с готовностью примете модель вариантов. Я ведь и сам не верил до тех пор, пока не убедился в том, что Трансерфинг работает, причем безотказно. Нет смысла отдавать предпочтение той или иной модели лишь с целью добиться какой-то абсолютной истины. Имеет значение не сама модель, а практический результат, который она позволяет получить. Разные математические модели могут представлять одно и то же физическое явление по-разному. Не правда ли, было бы забавно, если бы специалисты по аналитической геометрии вдруг ополчились против математического анализа и стали бы доказывать, что геометрия есть единственно верная математическая дисциплина? Математики смогли между собой договориться, а вот философы и религиозные деятели — нет.

Где оно находится, это пространство вариантов? На данный вопрос очень трудно ответить. С точки зрения нашего трехмерного восприятия о нем можно сказать, что оно везде и нигде. Представьте себе бесконечную плоскость, без начала и конца, в которой живут двумерные человечки. Они не подозревают, что есть третье измерение. Им кажется, что плоскость — это единственный мир, и они не могут понять, как может быть что-то еще за его пределами. Но тем не менее мы знаем, что стоит добавить третье измерение в эту модель, и таких плоскостей можно будет создать бесконечное множество. Так что пусть вас не беспокоит тот факт, что мы не в состоянии наглядно представить, каким образом наряду с нашим миром может существовать еще бесконечное множество параллельных миров.

Трудно поверить в реальность существования параллельных миров. Но с другой стороны, легко ли вам поверить в теорию относительности, согласно которой с увеличением скорости тела масса его увеличивается, размеры сокращаются, а время замедляется? На личном опыте это проверить пока невозможно. Важно не то, понимаем мы это или нет, а то, какую практическую пользу можем из этого извлечь.

В безграничном пространстве спорить о преимуществах той или иной модели просто нелепо и мелочно. Представьте себе бесконечность в сторону увеличения расстояний. Там, вдалеке, края нет. Бесконечность в сторону уменьшения расстояний, как ни странно, тоже не имеет предела. Мы можем наблюдать только ограниченную часть видимой Вселенной. Как телескоп, так и микроскоп имеет свои пределы. Бесконечность в направлении микромира ничем не отличается от бесконечности макромира.

Есть гипотеза, что видимая нами Вселенная произошла в результате «Большого взрыва». С тех пор она якобы непрерывно расширяется. Тела движутся в космосе с огромной скоростью. Но, с другой стороны, учитывая также огромные расстояния, нам кажется, что расширение Вселенной происходит очень долго и медленно.

Известно также, что в вакууме в каждый момент времени из ниоткуда рождаются и сразу исчезают элементарные частицы. Учитывая относительность пространства и времени, ничто не мешает рассматривать каждую такую частицу как отдельную Вселенную, подобную нашей. Ведь нам не известно строение элементарных частиц. Для физиков они проявляются то в виде волн, то в виде частиц. Продвигаясь все дальше в микромир, относительные расстояния становятся такими же громадными и время для внутреннего наблюдателя снова замедляется. Для внешнего наблюдателя наша Вселенная существует один миг, как рожденная и погасшая в пустоте частица, а для нас, как внутренних наблюдателей, Вселенная живет миллиарды лет.

Когда вы делаете глоток кофе, задумайтесь: сколько Вселенных вы проглотили? Бесконечное множество, потому что бесконечность не делится на части. Внутрь микромира «лететь» так же далеко и долго, как и в безбрежные просторы внешнего космоса. Время, подобно пространству, бесконечно как вперед, так и назад. Отрезки времени могут быть как безгранично малыми, так и большими. Любую точку на временном отрезке можно рассматривать как точку отсчета, по обе стороны которой простирается бесконечность времени. Перемещение точки отсчета по отрезку времени ничего не меняет ни впереди, ни сзади.

Вся эта бесконечность вложенных друг в друга миров существует одновременно. Центр Вселенной находится одномоментно в каждой точке, потому что любую точку с любой стороны окружает все та же бесконечность. И все события существуют одновременно по той же самой причине, по которой центр Вселенной в одно и то же время находится в любой точке. Это трудно представить. Но ведь и бесконечность охватить одним взглядом тоже невозможно. Сколько бы вы ни двигались мысленно по Вселенной, дальше простирается все та же бесконечность. Есть еще более запутанные теории, согласно которым наша видимая Вселенная превращается в конечную сферу в четырехмерном пространстве. Но от этого не легче, потому что теоретически измерений опять же может существовать бесконечное множество. Не имея возможности представить себе все это, мы вынуждены довольствоваться своим узким кругозором и делать вид, что мы что-то понимаем.

В современной науке вообще много непонятного и необъяснимого, однако это не мешает нам пользоваться ее плодами. Применяя принципы Трансерфинга, вы получите ошеломляющие результаты. Давайте только сразу условимся не мучить себя вопросами, почему и каким именно образом это работает. С таким же успехом ребенок может спросить у физика: «Почему тела притягиваются друг к другу?» Ученый ответит: «Потому что действует закон гравитации». На это последует новый вопрос: «А почему действует закон гравитации? Все-таки почему же тела притягиваются?» Ответа нет. Вот и оставим это неблагодарное занятие — что-то объяснять, и будем просто пользоваться результатами модели вариантов. Нам не дано все знать и понимать.

Из модели вариантов следует, что человек сам творит свою судьбу. И тем не менее концепция судьбы в Трансерфинге отличается от общеизвестных. В чем же отличие? В том, что *свое счастье можно выбирать, а не бороться за него.* Не спешите сразу принимать модель вариантов или отвергать ее. Просто задайте себе вопрос: много ли вам удалось добиться в борьбе с миром за свое счастье? Каждый для себя решает сам, продолжать действовать в том же духе или все-таки попробовать другой способ. Ведь на борьбу можно потратить всю жизнь, но так ничего и не достичь. Не проще ли сделать так, чтобы мир сам пошел к вам навстречу? Ведь он только тем и занимается, что реализует ваш выбор.

Выбранный заказ исполняется всегда и безоговорочно. Но выбор — это не желание, а нечто другое, о чем вам предстоит узнать. Желания исполняются только в сказках. Недаром укоренилось убеждение, что исполнять желания или очень трудно, или невозможно. Мы сделали лишь первый шаг к разрешению Загадки Смотрителя. Скоро вы узнаете, почему желания не исполняются, а мечты не сбываются.

Резюме

Реальность имеет бесконечное многообразие форм проявления.

Многовариантность мира является его первейшим фундаментальным свойством.

Любая модель представляет лишь отдельный аспект проявления реальности.

Любая отрасль знания базируется на выбранном аспекте проявления реальности.

Ваш выбор всегда реализуется. Что выбираете, то и получаете.

Пространство вариантов — это поле информации о том,что было, есть и будет.

Поле информации содержит потенциальные варианты любых событий.

Вариант состоит из сценария и декораций.

Пространство можно разбить на секторы, в каждом из которых свой вариант.

Чем больше расстояние между секторами, тем сильнее различия в вариантах.

Секторы с примерно однородными параметрами выстраиваются в линии жизни.

Материальная реализация движется в пространстве как сгусток плотности.

Излучение мысленной энергии материализует потенциально возможный вариант.

Каждый организм вносит свой вклад в формирование материальной реализации.

Когда параметры излучения меняются, происходит переход на другую линию.

Вы не можете изменить сценарий, но вы способны выбрать другой.

Не нужно бороться за счастье — можно просто выбирать себе вариант по душе.

Глава II

МАЯТНИКИ

Группы людей, мыслящих в одном направлении, создают энергоинформационные структуры — маятники. Эти структуры начинают развиваться самостоятельно и подчиняют людей своим законам. Люди не отдают себе отчета в том, что невольно действуют в интересах маятников. Как очнуться от вязкого наваждения?

Сдайте себя в аренду.

Деструктивные маятники

Нас с детства приучали подчиняться чужой воле, выполнять обязанности, служить отечеству, семье, политической партии, фирме, государству, идее... Кому угодно, но себе — лишь в последнюю очередь. У каждого в той или иной степени есть чувство обязанности, ответственности, необходимости, вины. Каждый человек так или иначе «состоит на службе» в различных группах и организациях: семья, клуб, учебное заведение, предприятие, политическая партия, государство и так далее. Все эти *структуры* зарождаются и развиваются, когда отдельная группа людей начинает мыслить и действовать в одном направлении. Затем присоединяются новые люди, и структура разрастается, набирает силу, заставляет своих членов следовать установленным правилам и в конечном итоге может подчинить себе большие слои общества.

На уровне материальной реализации структура состоит из людей, объединенных общими целями, и материальных предметов, таких как здания, сооружения, мебель, оборудование, техника и так далее. Но что стоит за всем этим на энергетическом уровне? Структура возникает, когда мысли группы людей направлены в одну сторону, а, следовательно, параметры мысленной энергии идентичны. Мысленная энергия отдельных людей соединяется в едином потоке. В таком случае посреди океана энергии создается отдельная независимая энергоинформационная структура — *энергетический маятник*. Эта структура начинает жить своей жизнью и подчиняет людей, задействованных в ее создании, своим законам.

Почему маятник? Потому что он раскачивается тем сильнее, чем больше людей — *приверженцев,* — питает его своей энергией. У каждого маятника своя характерная частота колебаний. Например, качели можно раскачать, только прилагая усилия с определенной частотой. Эта частота называется резонансной. Если количество приверженцев маятника уменьшается, его колебания угасают. Когда приверженцев совсем не останется, маятник остановится и как сущность умрет. Вот несколько примеров угасших маятников: древние языческие религии, каменные орудия труда, древние виды оружия, старые течения моды, виниловые пластинки — другими словами, все, что было раньше и что теперь не используется.

Вы, наверно, удивлены: неужели все это маятники? Да, любые структуры со своими атрибутами, созданные мысленной энергией людей, являются маятниками. Вообще любые живые существа, способные излучать энергию в одном направлении, рано или поздно создают энергетические маятники. Вот примеры маятников в живой природе: колонии бактерий, популяции живых существ, стаи рыб, стада животных, лесные массивы, прерии, муравейники — любые более-менее упорядоченные и однородные структуры живых организмов.

Каждый отдельный живой организм сам по себе является элементарным маятником, поскольку представляет собой энергетическую единицу. Когда группа таких единичных маятников начинает колебаться в унисон, создается групповой маятник. Он стоит над своими приверженцами как надстройка, существует как отдельная независимая структура и устанавливает правила для своих приверженцев, чтобы удержать их вместе и получить новых. Такая структура независима в том смысле, что развивается самостоятельно, по своим законам. Приверженцы не осознают, что действуют по законам маятника, а не по собственному произволу. Например, бюрократический аппарат развивается как самостоятельная структура независимо от воли отдельных чиновников. Конечно, влиятельный чиновник может принимать самостоятельные решения, но эти решения не могут идти вразрез с законами системы, иначе такой приверженец будет отвергнут. Даже человек в единственном числе, представляющий из себя маятник, не всегда отдает себе отчет в своих мотивациях. Например, энергетический вампир.

Любой маятник по своей природе является *деструктивным*, поскольку отнимает энергию у своих приверженцев и устанавливает над ними свою власть. Деструктивность маятника проявляется в том, что ему нет дела до судьбы каждого отдельного приверженца. Цель у маятника только одна — получать энергию приверженца, а пойдет это на пользу самому приверженцу или нет, не имеет значения. Человек, оказавшийся под влиянием системы, вынужден строить свою жизнь в соответствии с ее законами, иначе она его разжует и выплюнет. Оказавшись под влиянием деструктивного маятника, можно легко сломать всю свою жизнь. Вырваться без потерь, как правило, трудно.

Если человеку повезло, он находит свое место в системе и чувствует себя там как рыба в воде. Он, будучи приверженцем, дает энергию маятнику, а тот обеспечивает ему среду для существования. Как только приверженец начинает нарушать законы структуры, частота его излучения уже не совпадает с резонансной частотой колебаний маятника. Не получая энергию, тот выбрасывает или уничтожает строптивого приверженца.

Если же человека занесло далеко от благоприятных для него линий, тогда жизнь в структуре чуждого маятника превращается в каторгу или просто унылое существование. Такой маятник становится для приверженца чисто деструктивным. Человек, попавший под его влияние, теряет свободу. Он вынужден жить по навязанным законам и быть винтиком в большом механизме — нравится ему это или нет.

Человек может попасть под покровительство маятника и добиться выдающихся результатов. Наполеон, Гитлер, Сталин и им подобные — это все *фавориты* деструктивных маятников. Но в любом случае этот маятник вовсе не заботится о благополучии своих приверженцев, а только использует их для своих целей. Когда Наполеона спросили, был ли он когда-нибудь по-настоящему счастлив, он насчитал всего несколько дней из своей жизни.

Маятник пользуется изощренными методами для завлечения новых приверженцев, которые летят как мотыльки на свет. Как часто люди, прельстившись на рекламные штучки маятника, уходят далеко в сторону от счастья, которое было совсем рядом! Идут в армию и погибают. Поступают в учебное заведение и напрасно осваивают не свою профессию. Находят чуждую, но якобы престижную работу и утопают в болоте проблем. Связывают свою жизнь с чужим человеком и потом страдают.

Деятельность маятника очень часто ведет к разрушению судеб приверженцев, хоть он и пытается скрыть свои мотивы всякими добродетельными масками. Главная опасность для человека, поддавшегося влиянию деструктивного маятника, состоит в том, что он уводит свою жертву в сторону от тех линий жизни, где человек может обрести свое счастье. Отметим его отличительные признаки.

- Маятник питается энергией своих приверженцев и за счет этого увеличивает свои колебания.
- Маятник стремится привлечь к себе как можно больше сторонников, чтобы получить как можно больше энергии.
- Маятник противопоставляет группу своих приверженцев всем остальным группам. (Мы вот какие, а они другие, плохие.)

- Маятник агрессивно обвиняет всякого, кто не захотел стать приверженцем, и пытается либо привлечь на свою сторону, либо нейтрализовать или устранить.
- Маятник пользуется благообразными привлекательными масками, прикрывается высокими целями, играет на чувствах людей, чтобы оправдать свои действия и завоевать как можно больше приверженцев.

Маятник, по своей сути, является эгрегором, но этим далеко не все сказано. Понятие «эгрегор» не отражает весь комплекс нюансов взаимодействия человека с энергоинформационными сущностями. Маятники играют неизмеримо большую роль в жизни человека, чем это принято считать.

То, как маятник поглощает энергию своих приверженцев, можно наглядно проиллюстрировать на следующем примере. Представьте себе заполненный стадион, идет напряженный футбольный матч, страсти накалены, болельщики бушуют. Вот один игрок допускает непростительную оплошность, которая приводит к поражению команды. На игрока обрушивается буря негодования болельщиков, они готовы его растерзать. Представляете, какая масса негативной энергии обрушивается на голову несчастного? От такого чудовищного удара он должен бы просто умереть на месте. Но этого не происходит, он жив-здоров, хотя и подавлен чувством своей вины. Куда же делась негативная энергия, направленная на игрока? Ее забрал маятник. Если бы это было не так, тогда бы объект ненависти толпы погибал, а кумир просто взлетал в воздух.

Я не берусь судить, является ли маятник одушевленной сущностью или же это просто энергетическая форма. Да это и не имеет для техники Трансерфинга никакого значения. Главное — распознать маятник и не принимать его игру без пользы для себя. Узнать деструктивный маятник очень просто по одному отличительному признаку. Он всегда соперничает с себе подобными в борьбе за людей. Цель маятника только одна — захватить как можно больше приверженцев, чтобы получить как можно больше энергии. Чем агрессивнее действует маятник в борьбе за приверженцев, тем более он деструктивен, то есть представляет опасность для судьбы отдельного человека.

Можно возразить, что существуют ведь благотворительные организации, общества защиты природы, животных и другие. Что в них деструктивного? Для вас лично — то, что они, как ни крути, питаются вашей энергией и им нет никакого дела до чужого счастья и благополучия. Они призывают быть милосердными для других, оставаясь равнодушными к вам. Если это устраивает и вы действительно чувствуете себя счастливым, занимаясь такой работой, значит, это можно считать призванием, и вы нашли свой маятник. Но здесь надо быть честным с собой: не носите ли вы маску благодетели? Действительно ли искренне отдаете свою энергию и деньги на благо другим или играете в благотворительность, чтобы казаться лучше?

Деструктивные маятники отучили людей выбирать свою судьбу. Ведь если человек будет свободен в своем выборе, он обретет независимость. Тогда маятникам его не привлечь в свои приверженцы. Наше сознание настолько привыкло к тому, что судьба — это удел, и нам действительно очень трудно поверить в возможность просто *выбрать* такую судьбу, которая больше нравится. Маятникам выгодно держать приверженцев под контролем, поэтому они изобретают всевозможные способы манипулировать своими слугами. Из дальнейшего изложения вам станет ясно, как они это делают.

Трансерфинг тоже может стать маятником, если сделать из него культ, движение или школу. Разные маятники, конечно, деструктивны в разной степени. Трансерфинг даже в худшем случае будет являться наименее деструктивным, поскольку служит не какой-то общей сторонней цели, а исключительно на благо каждого отдельного индивида. Поэтому такой маятник был бы очень необычен, этакое сообщество индивидуалистов, занятых исключительно своей судьбой. Кстати, вот вам домашнее задание: какие маятники можно назвать конструктивными?

Но зачем вообще я вам об этом рассказываю? Затем, чтобы объяснить, что означает *выбирать* свою судьбу и как это сделать. Наберитесь терпения, дорогой Читатель, все не так просто, но постепенно картина начнет проясняться.

Битва маятников

Главный отличительный признак деструктивного маятника состоит в том, что он агрессивно стремится уничтожить другие маятники, чтобы перетянуть людей на свою сторону. Для этого он постоянно натравливает своих приверженцев на чужих: «Мы такие, а они другие! Плохие!» Люди, вовлеченные в эту борьбу, сбиваются со своего пути и идут к ложным целям, которые они ошибочно воспринимают как свои. В этом проявляется деструктивность маятников. Борьба против чужих приверженцев бесплодна и ведет к разрушению жизней — как своих, так и чужих.

Возьмем крайнее проявление битвы за приверженцев — войну. Чтобы убедить своих приверженцев пойти на войну, маятник приводит аргументы, соответствующие конкретной исторической эпохе. Самый примитивный метод, который применялся раньше, — просто приказать отобрать у других то, что им принадлежит. По мере того как общество становилось более цивилизованным, аргументы приобретали более рафинированную форму. Одна нация объявляется высшей, а другие — ущербными. Благая цель состоит в том, чтобы поднять эти недоразвитые народы на высшую ступень, а если они сопротивляются, применить силу. Ну, а современные концепции войны выглядят примерно следующим образом. В лесу на дереве висит пчелиное гнездо. Там живут дикие пчелы, добывают свой мед и растят своих деток. Но вот к гнезду подходит маятник и объявляет своим приверженцам: «Это дикие пчелы, они очень опасны, поэтому их надо уничтожить или, по крайней мере, разорить гнездо. Не верите? Смотрите!» Тут он начинает ворошить это гнездо палкой. Пчелы вылетают и принимаются жалить приверженцев. А маятник торжествует: «Вот видите, как они агрессивны! Надо их уничтожить».

Какими бы оправдательными лозунгами не прикрывались войны и революции, суть у них одна — это *битва маятников* за своих приверженцев. Формы битвы могут быть разные, но единственная цель состоит лишь в том, чтобы завоевать как можно больше приверженцев. Новые силы являются жизненной необходимостью маятника, без них он остановится, поэтому битва маятников — это естественная и неизбежная борьба за существование.

После войн и революций идут менее агрессивные, но достаточно жесткие формы битвы. Например, борьба за рынки сбыта, соперничество политических партий, конкуренция в экономике, всевозможные виды маркетинга, рекламные кампании, идеологическая пропаганда и так далее. Среда существования людей построена на маятниках, поэтому все сферы деятельности охвачены конкуренцией. Соперничество идет на всех уровнях, начиная с государственных споров и кончая соревнованием между клубными командами и отдельными людьми.

Новое, необычное, непонятное всегда с трудом пробивает себе путь. Почему бы это? Неужели только инертность мышления? Главная причина состоит в том, что старым маятникам невыгодно появление новичка, который перетянет на свою сторону приверженцев. Например, двигатели внутреннего сгорания, так сильно засоряющие атмосферу городов, могли бы уже давно уйти в прошлое. Ведь разработано множество альтернативных, экологически чистых моделей двигателей. Однако это грозит смертью маятникам нефтяных корпораций, а они пока что очень сильны, поэтому не позволят каким-то изобретателям вот так просто убрать себя со сцены. Доходит до того, что эти монстры буквально скупают патенты на модели новых двигателей и держат их в секрете, объявляя при этом об низкой эффективности изобретений.

Реализуя свою структуру на материальном уровне, маятники укрепляют свое положение финансовыми средствами, сооружениями, оборудованием и, конечно, людскими ресурсами. Во главу человеческих пирамид ставятся фавориты маятников. Фавориты — это руководители всех рангов, начиная с небольших начальников и кончая президентами государств. Они вовсе не обязательно должны обладать особо выдающимися качествами. Как правило, ими становятся приверженцы, параметры которых наиболее оптимально вписываются в структуру маятника. Фавориту может казаться, что он достиг внушительных результатов в своей жизни благодаря исключительно своим личным достоинствам. В некоторой степени это так, но большую часть работы по выдвижению своих любимцев выполняет самоорганизующаяся структура маятника. Если параметры фаворита перестают отвечать требованиям системы, он безжалостно устраняется.

Битва маятников деструктивна для их приверженцев в том, что последним кажется, будто они, выполняя высшую волю, действуют по своему личному убеждению. Личное убеждение приверженцев в большинстве случаев захвачено маятниками. Как только человек настроился на его частоту, возникает взаимодействие между ним и маятником на энергетическом уровне. Частота излучения мысленной энергии приверженца фиксируется и поддерживается энергией маятника. Возникает своего рода захват, петля с обратной связью. Приверженец излучает на резонансной частоте маятника, а тот, в свою очередь, тоже немного подпитывает энергией приверженца, чтобы сохранить влияние.

На уровне материальной реализации мы наблюдаем такое взаимодействие в виде привычной картины. Например, маятник политической партии проводит агитацию, зацепляет приверженца и дает ему некоторую энергетическую подпитку в виде чувства правоты, удовлетворения, достоинства, значимости. Приверженцу кажется, что он имеет контроль над ситуацией, — он может выбирать. На самом деле это его выбрали и установили над ним контроль. Внешне это выглядит как убежденность приверженца в том, что он реализует свою волю. Однако воля эта ему искусственно и незаметно навязана маятником. Приверженец попадает в его информационное поле, общается с себе подобными на «горячие» темы, вступает в энергетическую связь и тем самым фиксирует свою частоту. Потом ожидания приверженца могут быть обмануты, появляются мысли против бывшего кумира, и частота излучения выпадает из петли захвата. Сила захвата варьируется в зависимости от степени могущества маятника. В одних случаях приверженцу позволяют просто уйти, а в других такого еретика могут лишить свободы или жизни.

Захват частоты можно проиллюстрировать на таком наглядном примере. Вы напеваете про себя какую-нибудь мелодию. Но вот в этот момент вы услышали другую громкую музыку. Теперь, когда вы слышите иную мелодию, вам очень трудно будет продолжать проигрывать про себя прежний мотив.

Для целей Трансерфинга не важно, каким образом происходит взаимодействие между маятником и приверженцем на энергетическом уровне. Мы будем исследовать это взаимодействие, пользуясь упрощенной моделью в обыденном представлении. Этого вполне достаточно. Детально и точно объяснить, что и как происходит *на самом деле*, никто не сможет, потому что тогда возникнет вопрос: а что понимать под «на самом деле»? И так далее, в соответствии с бесконечностью процесса познания. Неблагодарное это занятие. Так что придется довольствоваться малым. Надо радоваться уже тому, что мы все-таки способны кое-что понять. Посмотрим, как маятники манипулируют своими приверженцами.

Нити марионеток

Давайте зададимся вопросом: как маятники могут вынудить своих приверженцев добровольно отдавать энергию? Большой и могущественный, например, может заставить своих приверженцев действовать по определенным правилам. Но как же это делают слабые маятники? Когда человек не имеет власти насильно заставить другого делать что-то, он пользуется разумными доводами, убеждением, уговорами, обещаниями. Все это слабенькие методы, присущие исключительно человеческому обществу, удалившемуся от природных сил. Маятники такие методы тоже иногда применяют, но имеют и намного более мощное оружие. Они являются энергоинформационными сущностями, поэтому подчиняются и действуют в соответствии с могущественными и непреложными законами существования этого мира.

Человек отдает энергию маятнику, когда излучает мысленную энергию на его резонансной частоте. Для этого человеку не обязательно сознательно направлять свои мысли в пользу маятника. Как вы сами понимаете, большая часть мыслей и поступков людей лежит в области бессознательного. Этим свойством человеческой психики и пользуются маятники. Они умудряются получать энергию не только от своих приверженцев, но и от ярых противников. Вы уже, наверно, догадываетесь, каким образом.

Представьте себе группу старушек на лавке, которые клянут на чем свет стоит правительство страны. Они не являются приверженцами маятника правительства, они его ненавидят по целому ряду причин. Однако что происходит? Старушки ругают правительство — какое оно есть бездарное, продажное, циничное и тупое. Таким образом они интенсивно излучают мысленную энергию на частоте этого маятника. В самом деле ведь маятнику безразлично, с какой стороны вы будете его раскачивать. Для него подходит как положительная, так и отрицательная энергия. Главное, чтобы частота излучения была резонансной.

Итак, главная задача маятника состоит в том, чтобы зацепить, задеть человека за живое, не важно каким образом, лишь бы занять его мысли. С появлением средств массовой информации методы маятников становятся все более изощренными. Человек попадает в сильную зависимость. Вы заметили, что в информационных программах обычно преобладают плохие новости? Они вызывают сильные эмоции — беспокойство, страх, негодование, злость, ненависть. Задача корреспондентов и состоит в том, чтобы привлечь внимание. Средства массовой информации, сами являясь маятниками, состоят на службе у более могущественных маятников. Провозглашенной целью является свободный доступ к любой информации. Фактическая цель одна — настройка всеми возможными способами на нужные частоты.

Одним из самых любимых способов маятника получить доступ к вашей энергии является вывод вас из равновесия. Отклонившись от равновесия, вы начинаете «раскачиваться» на частоте маятника и тем самым раскачиваете его. Допустим, цены выросли. Вы реагируете негативно — начинаете негодовать, жаловаться, обмениваться информацией со знакомыми. Вполне нормальная и адекватная реакция. Но это как раз то, что маятник ожидает. Вы излучаете негативную энергию в окружающий мир на частоте маятника, он получает энергию и раскачивается еще сильнее — ситуация усугубляется.

Самая крепкая нитка, за которую может вас дергать маятник, — это страх. Самое древнее и сильное чувство. Не имеет значения, чего именно вы боитесь, но если страх связан с каким-либо аспектом маятника, он получит вашу энергию. Тревога и беспокойство уже слабее, но все еще достаточно прочные нити. Эти чувства очень хорошо фиксируют излучение мысленной энергии на частоте маятника. Если вас что-то беспокоит, вам трудно сосредоточиться на чем-нибудь другом.

Чувство вины также является одним из самых широких каналов, по которым маятник выкачивает из вас энергию. Его нам навязывают с самого детства. Это очень удобный метод манипулирования: «Если ты виноват, ты обязан делать то, что я скажу». С чувством вины жить очень неуютно, поэтому от него стараются избавиться. Но каким способом? Понести наказание или отработать вину. И то и другое подразумевает подчинение, повиновение и работу мыслей в определенном направлении. Чувство долга является частным случаем чувства вины. Должен — значит, чем-то обязан, повинен выполнять. В итоге «виновные» как истинные, так и надуманные бредут с поникшими головами и несут маятнику свою подать в виде энергии. Индуцированное, внушаемое чувство вины — излюбленное оружие манипуляторов, и мы еще к нему вернемся.

Особо следует отметить всевозможные психологические комплексы людей. Комплекс неполноценности: у меня непривлекательная внешность, у меня нет способностей и талантов, у меня не хватает ума или остроумия, я не умею общаться с людьми, я недостоин. Комплекс вины: я в чем-то провинился, все меня осуждают, я обязан нести свой крест. Комплекс воителя: я должен быть крутым, я объявляю войну себе и всем окружающим, я буду бороться за место под солнцем, буду брать свое силой. Комплекс правдолюбца: я любой ценой докажу свою правоту и докажу другим, что они не правы. Эти и другие комплексы являются персональными ключами к энергии отдельных личностей. Маятник, задевая человека за живое, интенсивно выкачивает из него энергию.

Вы сами можете продолжить список нитей, за которые маятники дергают своих марионеток: справедливость, гордость, тщеславие, честь, любовь, ненависть, жадность, щедрость, любопытство, интерес, голод, ну и прочие чувства и потребности. Чувства и заинтересованность позволяют зафиксировать течение мыслей в определенном направлении. Если тема не вызывает ни интереса, ни эмоций, тогда на ней очень трудно сосредоточиться. Поэтому маятники производят захват потока мыслей, задевая чувства и потребности человека.

Как правило, люди стандартно реагируют на негативные внешние раздражители. Негативные новости вызывают недовольство, тревожные новости — реакцию беспокойства или страха, обида вызывает неприязнь и так далее. Привычки служат стартовым рычагом для запуска механизма захвата. Например, привычка раздражаться или беспокоиться по незначительным поводам, отвечать на провокацию, в общем, отвечать негативной реакцией на негативный раздражитель. Человек может осознавать, что негативные мысли и поступки ничего хорошего не несут, однако по обыкновению совершает старые ошибки.

Таким образом, привычки часто создают проблемы и заставляют действовать неэффективно, а избавиться от них трудно. Они являются иллюзией комфорта. Человек больше доверяет тому, что давно знакомо. Все новое вызывает опасения. Старое, привычное уже зарекомендовало себя на опыте. Это как старое кресло, в которое вы садитесь отдыхать после работы. Может, новое и удобней, зато старое комфортней. Комфорт характеризуется такими понятиями, как удобство, доверие, положительный опыт, предсказуемость. Новое обладает этими качествами в гораздо меньшей степени, поэтому требуется значительное время, чтобы новая привычка стала старой.

Итак, в общих чертах мы рассмотрели методы воздействия маятников на людей. Может ли человек избавиться от влияния маятника? О способах освобождения мы будем говорить дальше. Однако часто случается так, что кто-то восстает и открыто выступает против поработившего его маятника. В таком поединке человек *всегда* терпит поражение. Маятник может быть побежден только другим маятником. Один человек ничего не сможет сделать. Если он вышел из повиновения и вступил в борьбу, он только потеряет энергию и в лучшем случае будет выброшен за пределы системы, а в худшем — раздавлен. Приверженец, осмелившийся нарушить установленные маятником правила, объявляется вне закона. Внешне это проявляется как осуждение за поступок. На самом деле вина заключается не в самом поступке, а в том, что приверженец вышел из повиновения, то есть перестал поставлять маятнику энергию.

Почему «повинную голову меч не сечет»? Потому, что человек, принявший в себя чувство вины, полностью готов к подчинению власти маятника. Для маятника раскаяние приверженца в содеянном поступке не имеет значения. Значение имеет только восстановление утерянного контроля. Маятник сразу станет добрее, если вы дадите ему возможность манипулировать вами. Ну, а если виновник не покоряется, тогда его можно устранить, поскольку взять с него больше нечего. Истинные мотивы маятника, как правило, завуалированы моральными принципами. Дескать, раскаявшийся в содеянном уже не такой злодей. Вы сами легко можете отличить, где действует моральный принцип, а где затрагиваются интересы системы, если всегда будете помнить, что из себя представляют маятники и каковы их подлинные цели.

Вы получаете то, чего не хотите

Как было сказано выше, маятники могут получать энергию как от своих приверженцев, так и от противников. Но потеря энергии — это еще полбеды. Если маятник в достаточной степени деструктивен, ущерб наносится благополучию и судьбе человека.

Каждый человек время от времени сталкивается с негативной информацией или нежелательными событиями. Все это — провокации маятников. Человек не хочет, чтобы это было в его жизни, но реагирует всегда по одному из двух вариантов. Если информация его не очень задевает, он пропускает ее мимо ушей и быстро забывает. Если же провокационная информация раздражает или пугает, то есть западает в душу, тогда происходит захват мысленной энергии в петлю маятника, и человек настраивается на резонансную частоту.

Далее события развиваются по известному вам сценарию. Человек злится, негодует, беспокоится, боится, бурно выражает недовольство, в общем, активно излучает энергию на частоте деструктивного маятника. Эта энергия поступает не только к маятнику. Параметры мысленной энергии таковы, что человек переносится на линии жизни, где то, чего он хочет избежать, находится в избытке. Как вы помните, если излучение мысленной энергии человека фиксируется на определенной частоте, он переносится на соответствующие линии жизни. Деструктивная роль маятника здесь заключается в фиксировании частоты с помощью петли захвата.

Допустим, вы пропускаете информацию о катастрофах и стихийных бедствиях мимо ушей. Ведь если вас это не затрагивает, зачем лишние расстройства? В таком случае, как правило, где-то происходит катастрофа, но лично вы находитесь на линии жизни, где являетесь не жертвой, а наблюдателем. Та линия, где вы жертва, осталась в стороне. И наоборот, если вы впускаете в себя информацию о катастрофах и несчастьях, охаете и обсуждаете это со знакомыми, то вполне возможно, что скоро переместитесь на линию, где сами будете жертвой.

Выходит, чем сильнее ваше желание избежать чего-либо, тем больше вероятность это получить. Активно бороться с тем, чего вы не хотите, — значит прилагать все усилия для того, чтобы это было в вашей жизни. Для перемещения на нежелательные линии жизни даже не обязательно предпринимать какие-либо действия. Вполне достаточно негативных мыслей, сдобренных эмоциями. Вы не хотите плохой погоды и думаете о том, как не любите дождь. Досаждают шумные соседи — и вы постоянно с ними ругаетесь или тихо их ненавидите. Чего-то боитесь — и это вас очень беспокоит. Надоела нынешняя работа — и вы смакуете свою неприязнь к ней.

Вас повсюду преследует то, чего вы *активно не хотите*, то есть боитесь, ненавидите, презираете. С другой стороны, есть много такого, чего бы тоже хотелось избежать, но это вас в данный момент не очень-то волнует. В таком случае это и не происходит. Но как только вы впустите в себя нежелательное, проникнетесь неприязнью и начнете лелеять это чувство, нежелательное обязательно материализуется в вашей жизни.

Единственный способ устранить из своей жизни нежелательное состоит в том, чтобы освободиться от влияния маятника, захватившего вашу мысленную энергию. А впредь не поддаваться на его провокации и не включаться в эту игру. Выйти из-под влияния деструктивного маятника можно двумя способами: *провалить* его или *погасить*. Рассмотрим подробнее, как это делается.

Провал маятника

Бороться с маятником бесполезно. Как уже было сказано выше, бороться с ним — значит отдавать ему свою энергию. Первым и главнейшим условием успеха является *отказ от борьбы* с ним. Во-первых, чем активнее вы отбиваетесь от досаждающих вам маятников, тем активнее они будут наседать. Вы можете бесконечно повторять: «Да оставьте меня в покое! Отстаньте от меня все!» Вам кажется, что вы отбиваетесь от них, а на самом деле кормите маятники своей энергией, и они липнут еще больше.

Во-вторых, вы не имеете права ничего осуждать и изменять в этом мире. Нужно все принимать как картины на выставке, нравятся они вам или нет. На выставке может быть представлено много картин, которые покажутся непривлекательными. Однако вам не приходит в голову требовать, чтобы их оттуда убрали. После того как вы признали право маятника на существование, у вас есть право уйти от него, не поддаваться влиянию. Но главное — это не бороться с ним, не осуждать, не злиться, не выходить из себя, потому что все это будет означать ваше участие в его игре. Наоборот, надо спокойно принять его как должное, как неизбежное зло, а потом уйти. Проявляя неприятие в любой форме, вы отдаете энергию маятнику.

Прежде чем разобраться, что означает *выбирать*, следует научиться *отказываться*. Люди, как правило, смутно представляют себе, чего они хотят. Но все точно знают, чего не хотят. Стремясь избавиться от нежеланных вещей или событий, многие поступают так, что получается наоборот. *Чтобы отказаться, необходимо принять*. Слово «принять» здесь означает не впустить в себя, а признать право на существование и равнодушно пройти мимо. Принять и отпустить — значит пропустить через себя и помахать на прощание ручкой. Напротив, принять и оставить — значит впустить в себя, а потом привязаться либо воспротивиться.

Если вас донимают мысли о том, что вам не нравится, оно будет в вашей жизни. Представьте себе, что один человек не любит яблоки. Он их просто ненавидит, его от них тошнит. Человек мог бы просто не обращать на них внимания, но его не устраивает тот факт, что в мире, в котором он живет, присутствует такая гадость, как яблоки. Они его раздражают всякий раз, лишь попавшись на глаза, и он активно высказывает свое отвращение. Это на материальном уровне. Однако на энергетическом уровне человек с жадностью набрасывается на яблоки, набивает рот, громко чавкает и верещит, что ненавидит их, набивает себе карманы, давится и снова жалуется, как они ему надоели. Человеку в голову не приходит, что можно просто выбросить яблоки из своей жизни, если он их не хочет.

Любите вы что-то или ненавидите, это не имеет значения. Главное — если ваши мысли зациклены на предмете ваших чувств, энергия мыслей фиксируется на определенной частоте, поэтому вы оказываетесь захвачены маятником и переноситесь на соответствующие линии жизни, где предмет фиксации присутствует в изобилии.

Если вы не хотите что-то иметь, просто не думайте об этом, равнодушно проходите мимо, и оно исчезнет из вашей жизни. *Выбросить из жизни означает не избегать, а игнорировать.* Избегать — это допускать в свою жизнь, но активно стараться избавиться. Игнорировать же — значит никак не реагировать и, следовательно — не иметь.

Представьте себе, что вы — радиоприемник. Каждый день вы просыпаетесь и слушаете ненавистную вам радиостанцию — мир, который вас окружает. Так перестройтесь на другую частоту!

Может показаться, что, установив железный занавес между собой и миром, вы убережете себя от нежелательных маятников. Это не более чем иллюзия. Находясь в железном панцире, вы говорите себе: «Я глухая стена. Ничего не вижу, ничего не слышу, ничего не знаю, ничего никому не скажу. Ко мне нет доступа». Чтобы поддерживать такое защитное поле, необходимо затрачивать энергию, причем немалую. Человек, пытающийся намеренно отгородиться от мира, постоянно пребывает в напряжении. Ко всему прочему, энергия защитного поля настроена на частоту того маятника, против которого направлена защита. А маятнику именно это и нужно. Ему безразлично, как вы отдаете энергию — с желанием или без. Что же тогда является защитой от маятника? *Пустота*. Если я пустой, меня не за что зацепить. Я не вступаю в игру маятника, но и не пытаюсь от него защититься. Я просто его игнорирую. Энергия маятника пролетает, не задевая меня, и рассеивается в пространстве. Игра маятника меня не волнует, не трогает. По отношению к нему я пустой.

Главная задача маятника — привлечь как можно больше приверженцев и получить от них энергию. Если игнорировать маятник, он оставит вас в покое и переключится на других, потому что он действует только на тех, кто принимает его игру, то есть начинает излучать на его частоте.

Самый грубый пример. За вами увязалась лающая собака. Если вы обернетесь, она залает еще громче. Если примете ее всерьез и начнете с ней препираться, она будет еще долго бежать следом, ведь ее цель и состоит в том, чтобы найти, с кем поскандалить. Но если вы ее проигнорировали, она переключится на другой объект. И заметьте, ей даже в голову не придет обижаться на то, что вы не уделили ей внимания. Она слишком поглощена своей целью получить энергию, чтобы думать о чем-то другом. Вместо собаки может оказаться склочный человек, данная модель будет работать точно так же.

Если вам кто-то досаждает, примерьте на него модель деструктивного маятника, она наверняка придется ему впору. Если не можете погасить «приставалу», тогда просто не отвечайте на провокации — игнорируйте. Он не оставит вас до тех пор, пока не перестанете отдавать ему свою энергию. Энергию вы можете отдавать как прямо, вступая с ним в пререкания, так и косвенно, молча ненавидя. Перестать отдавать энергию означает не думать о нем вообще, выбросить из головы. Просто скажите себе: «Да пес с ним!» — и он уйдет из вашей жизни.

Однако часто бывает, что просто проигнорировать маятник не удается. Например, начальник вызывает вас на ковер. Просто отказ или защита будут означать потерю энергии, поскольку и то и другое есть борьба с маятником. В таких случаях вы можете сделать вид, что вступаете в игру маятника. Главное, чтобы вы осознавали, что вступаете в игру понарошку.

Представьте себе, как здоровенный детина замахивается на вас кувалдой и изо всей силы наносит удар. Вы ничего не имеете против, не защищаетесь и не нападаете. В этот момент вы просто спокойно отступаете в сторону, и детина вместе с кувалдой летит в пустоту. Это значит, маятник не может вас зацепить и проваливается.

Такой принцип лежит в основе борьбы айкидо. Там буквально происходит следующее. Нападающего берут под ручку, идут вместе с ним, как бы провожая, а затем легко отпускают и отправляют лететь в ту сторону, куда была направлена его энергия. Весь секрет заключается в том, что обороняющийся не имеет ничего против нападения. Он соглашается с линией нападающего, идет с ним вместе некоторое время, а затем отпускает. Энергия нападающего проваливается в пустоту, потому что если обороняющийся — «пустой», тогда его не за что зацепить.

Техника такого мягкого ухода заключается в том, что на первый выпад маятника вы отвечаете согласием, а затем дипломатично отступаете или ненавязчиво направляете движение в нужную вам сторону. Например, возбужденный начальник хочет взвалить на вас работу и энергично требует, чтобы она была выполнена именно так, как считает он. Вы знаете, что это надо делать по-другому или вообще не считаете это своими обязанностями. Если начнете возражать, спорить, защищаться, он в жесткой форме потребует повиновения. Ведь он принял решение, а вы идете ему наперекор. Сделайте наоборот. Выслушайте внимательно, согласитесь со всем, дайте иссякнуть первому импульсу. А затем спокойно начните с ним обсуждать детали работы. В данный момент вы приняли энергию начальника и излучаете на его частоте. Его импульс, не встречая сопротивления, на некоторое время вязнет. Не говорите ему, что лучше знаете, как делать эту работу, не отказывайтесь и не спорьте. Просто посоветуйтесь с начальником о том, как бы вы могли выполнить ее быстрее и лучше или, может, другой исполнитель сделает это качественнее. Вы качаетесь вместе с маятником, но делаете это сознательно, не участвуя в игре, а как бы наблюдая со стороны. Он качается, полностью погруженный в игру. Это его игра — он принимает решение, а с ним соглашаются и советуются. Вы увидите, что энергия, прежде направленная на вас, уйдет в сторону — в сторону иного решения или другого исполнителя. Таким образом, маятник лично для вас будет провален.

Гашение маятника

Бывают случаи, когда маятник провалить не удается. То есть ни проигнорировать, ни уйти от него нельзя.

Был у меня приятель, покладистый такой, добродушный, но при этом наделенный неимоверной физической силой. Едем мы с ним как-то поздно вечером в трамвае, а там компания агрессивно настроенных забияк — настоящий деструктивный маятник. Их много, они заодно, подпитывают друг друга своей негативной энергией и чувствуют полную безнаказанность. Для умножения энергии такой компании, как правило, требуется постоянно кого-нибудь задирать, чтобы получить подпитку извне.

Они начали приставать к моему приятелю, потому что добродушное и миролюбивое выражение его лица не внушало никакой опасности. Они и так и этак пытались его поддеть издевками и оскорблениями, но он сидел молча и не отвечал на провокации, то есть пытался провалить маятник. Я тоже не вмешивался, поскольку знал, что ему ничего не грозит, а вот компания очень рискует. Наконец, не выдержав, мой приятель направился к выходу, но ему преградил путь самый обнаглевший приверженец. Тогда мой приятель, загнанный в угол, схватил засранца за шиворот и нанес чудовищный удар.

Лицо пострадавшего сразу же превратилось в кашу. Остальные герои остолбенели от удивления и ужаса. Приятель повернулся и схватил следующего, но тот дрожащим голосом замямлил: «Все... мужик, все... не-е-е-т...» Энергия маятника была мгновенно погашена, и приверженцы, шарахаясь и пятясь, вывалились из трамвая.

Конечно, хорошо тем, кто может за себя постоять. А если нет, что тогда? Если действительно отступать некуда, можно для гашения маятника выкинуть нечто экстраординарное — то, чего от вас никто не ждет.

Мне рассказывали такой случай. Одного парня стая «отважных» приверженцев уличной банды загнала в угол и собиралась избить. Тогда он подступил к главарю, вытаращился на него безумным взглядом и заявил: «Тебе что сломать: нос или челюсть?» Такая постановка вопроса явно не укладывалась в сценарий, и главарь на мгновение опешил. Тогда парень с нездоровым энтузиазмом воскликнул: «А давай я тебе ухо оторву!» И всей пятерней вцепился ему в ухо. Тот истошно завопил. Весь спектакль, который привыкла разыгрывать банда, был сорван. У главаря уже и в мыслях не было кого-то бить, его терзала одна забота — освободить свое ухо. Парня оставили в покое, как психа, зато он избежал расправы.

Вот так, если вы попали в ситуацию, где известен стандартный сценарий развития событий, сделайте что-нибудь — не важно что — не укладывающееся в этот сценарий. Маятник будет погашен. Дело в том, что пока вы действуете по сценарию, вы принимаете игру маятника и отдаете свою энергию на этой частоте. Но если ваша частота сильно отличается, вы попадаете в диссонанс с маятником и тем самым сбиваете его с ритма.

В то же время не следует лезть на рожон, если вы имеете дело с маятником, которому нечего терять. Если на вас напали с целью ограбления, лучше сразу отдайте деньги. Некоторые даже специально носят для таких случаев десяток долларов наличными. Например, если грабитель наркоман или псих, он легко может лишить вас жизни, даже если вы мастер боевых искусств. Поэтому с ним не следует связываться, как и с бешеной собакой. В противном случае ваша смерть будет неоправданной и нелепой.

В гашении может помочь чувство юмора и воображения. Обратите свое раздражение в игру. Например, вам досаждают толпы людей на улице или в транспорте, которые куда-то спешат и мешают продвигаться. Представьте, что вы в Антарктиде на птичьем базаре. Люди — это пингвины, они очень смешно переваливаются, суетятся и копошатся. А вы-то кто? Тоже пингвин. После такой трансформации люди уже внушают скорей симпатию и любопытство, чем раздражение.

Конечно, трудно держать себя в руках, когда буквально хочется рвать и метать. В такие моменты труднее всего *вспомнить*, что это всего лишь маятник стремится вытянуть из вас энергию. Не поддавайтесь на его провокации. Маятник, подобно вампиру, пользуется своего рода анестезией — вашей привычкой негативно реагировать на раздражитель. Даже сейчас, прочитав эти строки, вы можете через несколько минут отвлечься и раздраженно ответить на нежелательный телефонный звонок. Но если вы поставите себе цель приобрести привычку *помнить*, у вас со временем появится иммунитет на провокации маятников.

Обратите внимание, когда вы натолкнулись на какое-нибудь досадное обстоятельство и отреагировали раздражением, недовольством, негативными эмоциями, тут же следует продолжение и развитие негативной ситуации в том же духе или появляются новые неприятности. Так раскачивается маятник. Это вы сами его раскачиваете. Поступите противоположным образом: либо не реагируйте никак, либо неадекватно. Например, вы можете встретить неприятность с наигранным энтузиазмом или вообще с идиотским восторгом. Это гашение маятника. Вы убедитесь, что продолжения не последует.

Как вы помните, привычка негативно реагировать на досадные обстоятельства является стартовым рычагом механизма захвата маятником вашей мысленной энергии. Такая привычка поблекнет, если вы будете играть в своеобразную игру, в которой нарочно сделаете следующую подмену: страх — уверенность, уныние — энтузиазм, негодование — равнодушие, раздражение — радость. Попробуйте реагировать хотя бы на мелкие неприятности «неадекватно». Что вы теряете? Пусть это будет нелепо, зато такой стиль игры не оставит маятнику никаких шансов. Такой способ потому и кажется нелепым, что маятники нас приучили играть только в выгодные им игры. Попробуйте теперь навязать им свою игру, она вам доставит удовольствие, и вы с удивлением обнаружите, насколько это мощная техника. Принцип здесь один: излучая на частоте, отличной от резонансной, вы вступаете с маятником в диссонанс, он по отношению к вам гасится и оставляет вас в покое.

Есть еще один интересный способ мягкого гашения. Если вам кто-то досаждает, то есть создает для вас проблему, постарайтесь определить, чего не хватает этому человеку, в чем он нуждается. Теперь представьте себе этого человека, имеющего то, чего ему не хватает. Это может быть: здоровье, уверенность, душевный комфорт. Если вдуматься, это три основные вещи, которые нам нужны, чтобы чувствовать себя удовлетворенно. Подумайте, в чем он нуждается в данный момент на самом деле?

Допустим, на вас накричал начальник. Может, он устал или у него неприятности в семье? Тогда ему нужен душевный комфорт. Представьте себе его отдыхающим в уютном кресле у телевизора, или у камина, или с удочкой у реки, или в бане с кружкой пива. Вы знаете, что он любит? Может, на него надавили вышестоящие чиновники и он боится ответственности? Тогда ему нужна уверенность. Представьте себе его, уверенно скользящим на горных лыжах, или на спортивной машине, или на вечеринке, когда он в центре внимания. Может, у него что-то болит? Представьте себе его веселым и бодрым, купающимся в море, катающимся на велосипеде, играющим в футбол. Конечно, лучше представить то, чем он увлекается. Но угадывать не обязательно, пусть это вас не беспокоит. Вполне достаточно представить себе этого человека в ситуации, когда он доволен.

Что тут происходит? Вот он появился на вашем горизонте с проблемой для вас. (А это может быть и грабитель в том числе.) Отвлекитесь от проблемы, которую он вам несет. Таким образом вы с самого начала не засунете голову в петлю захвата частоты. Представьте себе этого человека, получившим то, в чем он нуждается. (Чего хочет грабитель? Поесть, выпить, уколоться?) Визуализируйте себе картину удовлетворенности этого человека. Если вам это удалось, считайте, что с проблемой покончено. Ведь маятник начал раскачиваться не просто так. Что-то вывело его из равновесия. Он, сознательно или бессознательно, ищет то, что вернет ему равновесие. И вот энергия ваших мыслей на определенной частоте дает ему это, хоть и косвенным образом. Он сразу сменит агрессию на благосклонность. Что, в это трудно поверить? Проверяйте!

В основе данной техники лежит принцип гашения маятника. Человек-маятник идет к вам с проблемой, а вы ее удовлетворяете, но не явным образом, а на энергетическом уровне. Вы отдали ему свою энергию, но только самую малую часть по сравнению с тем, что могли потерять. К тому же сделали доброе дело — хоть на время оказали помощь нуждающемуся. Что интересно, впоследствии он переменит к вам свое отношение на более дружеское. Ему будет невдомек, почему в вашем обществе он чувствует себя комфортно. Пусть это будет ваш маленький секрет.

Такую технику можно успешно применять и в случаях, когда вам самим что-то нужно получить от человека, а он озабочен своими проблемами и не расположен вам это дать. Вам нужна подпись чиновника? Сначала «подкормите» его благотворной визуализацией, и он все для вас сделает.

Ну и последнее. Как вы думаете, куда девается энергия остановленного маятника? Она переходит к вам. Справившись с проблемой, вы становитесь сильнее. В следующий раз это для вас уже не трудность. Разве не так? А борясь с проблемой, вы отдаете энергию маятнику, породившему эту самую проблему.

Практики провала и гашения маятника известны психологам и психотерапевтам как профессиональные приемы. В этом смысле данные методы не являются ничем принципиально новым. Зато для человека, не знакомого с приемами практической психологии, они представляют ценность, поскольку дают ясность и понимание того, как и почему работает психологическая защита.

Простые решения сложных проблем

Еще одна прикладная ценность провала или гашения маятника состоит в умении решать всевозможные проблемы. Это может быть сложная жизненная ситуация, конфликт, неблагоприятное обстоятельство, затруднение или просто задача. Для любых сложных проблем существуют простые решения. Ключ к решению всегда лежит на поверхности, вопрос лишь в том, как его увидеть. Увидеть его мешает маятник, создавший проблему.

Деструктивный маятник имеет своей целью получить от вас энергию. Для этого ему необходимо зафиксировать частоту излучения ваших мыслей на проблеме. Это проще всего сделать, убедив вас в том, что проблема сложная. Если вы приняли такие правила игры, вас можно спокойно брать за ручку и вести в запутанный лабиринт. Только потом приходит понимание, что «ларчик просто открывался».

Если человека испугать, обеспокоить, озадачить или сыграть на его комплексах, тогда он легко согласится с тем, что проблема сложная, и сядет на крючок. Но можно и не пугать. Для множества проблем уже и так установилось бытующее мнение о том, что они не имеют простых решений. Любой человек в течение всей жизни постоянно сталкивается с разными затруднениями, особенно если это что-то новое, незнакомое. В итоге каждый имеет прочно укоренившуюся привычку встречать проблемы с опасением, а иногда даже с благоговейным страхом. При этом свои способности справиться с трудностью человек всегда взвешивает на весах сомнения. В результате склонность встречать проблемы с опасением превращается в нить марионетки.

Маятник может действовать как через своих приверженцев, то есть людей, которые связаны с этой проблемой, так и через неживые предметы. Он фиксирует излучение мысленной энергии на определенной частоте и сосет энергию, пока человек тяготится проблемой. Казалось бы, фиксация частоты на предмете помогает сосредоточиться. Как же это может мешать решению проблемы?

Дело в том, что маятник фиксирует наши мысли в очень узком секторе поля информации. А решение может лежать за пределами этого сектора. В итоге получается, что человек думает и действует в пределах узкого коридора и не имеет возможности взглянуть на проблему шире. Нестандартные и интуитивные решения приходят именно тогда, когда человек освобождается от маятника и получает свободу мыслить в другом направлении. Весь секрет гениев состоит в том, что они свободны от влияния маятников. В то время как частоты мыслей обычных людей захвачены маятниками, частоты мыслей гениев способны свободно перестраиваться и заходить в неведомые области поля информации.

Как же поступать, чтобы не попадать в петлю захвата? Не погружаться с головой в проблему, не давать втянуть себя в игру маятника. *Сдайте себя в аренду.* Действуйте так же, как и обычно в таких случаях, но не как *участник* игры, а как *сторонний наблюдатель.* Посмотрите на ситуацию отстраненно. Помните, что вас хотят взять за ручку и отвести в лабиринт. Не дайте проблеме испугать себя, захватить, обеспокоить, озадачить. Вспомните для начала, что всегда существует очень простое решение, не принимайте навязываемого вам сложного.

Если вы столкнулись с проблемой или препятствием, поймайте себя на отношении к ней. Проблема может порождать замешательство, страх, негодование, уныние и так далее. Необходимо заменить привычное отношение к возникшей трудности на прямо противоположное, и она либо сама ликвидируется, либо решится быстро и легко. Вопреки сложившимся стереотипам и привычкам встречайте любую проблему не как препятствие, требующее преодоления, а как отрезок пути, который надо пройти. Не оставляйте в себе места проблеме. Будьте по отношению к ней пустым.

Если вам нужно решить какую-то задачу, где требуется подумать, не бросайтесь сразу в логические рассуждения. Ваше подсознание напрямую связано с полем информации. Решение любой задачи там уже есть. Поэтому сначала расслабьтесь, отбросьте малейший страх и беспокойство по поводу решения. Ведь вы знаете, что решение есть. Отпустите себя, остановите ход мыслей, созерцайте пустоту. Весьма вероятно, что решение сразу придет, причем очень простое. Если не получилось, не досадуйте и включайте мыслительный аппарат. В другой раз получится. Подобная практика хорошо развивает способность получать доступ к интуитивным знаниям. Необходимо только сделать это своей привычкой.

Эта методика действительно работает, если удается освободиться от маятника и «сдать себя в аренду». Однако это проще сказать, чем сделать. Далее из этой книги вы узнаете новые приемы обращения с маятниками. Ведь это еще только начало. А вам не кажется, что это я сам взял вас за ручку и веду в лабиринт? Правильно, оставайтесь свободными даже от тех, кто вам вещает о вашей свободе.

Подвешенное состояние

Освободившись от влияния деструктивных маятников, вы обретаете свободу. Но свобода без цели — это *подвешенное состояние.* Если вы увлеклись провалом и гашением окружающих вас маятников, вы рискуете оказаться в вакууме. Случавшиеся ранее конфликты куда-то уходят, мучившие вас заботы отступают, неурядицы происходят все реже, тревога и беспокойство тихо исчезают. Все это происходит незаметно, как будто буря медленно стихает.

Однако вскоре вы обнаружите, что здесь имеется обратная сторона. Если раньше вы были в центре событий, то сейчас они происходят в стороне от вас. Для окружающих вы перестаете иметь прежнее значение, они все меньше обращают на вас внимания. Забот убавляется, но и новые желания не приходят. Давление внешнего мира ослабевает, только дивидендов это не приносит. У вас уменьшается количество проблем, а вот достижений тоже не прибавляется.

Что же происходит? Дело в том, что вся среда существования человека построена на маятниках, поэтому если он полностью изолирует себя от них, то сам оказывается в пустыне. Подвешенное состояние ненамного лучше зависимости от маятника. Например, дети, у которых всего вдоволь, изнывают оттого, что «им нечего больше хотеть». Они сами мучаются и изводят окружающих своими капризами. Человек так устроен, что ему всегда нужно к чему-нибудь стремиться.

Ваша свобода — это независимость от чуждых маятников. Но существуют маятники, которые будут полезны именно вам. Это *ваши маятники.* Другими словами, необходимо распознавать навязанные цели, в погоне за которыми вы все дальше уходите от линий своей счастливой жизни. Задача состоит в том, чтобы, оставаясь свободными, выбрать себе линии жизни, на которых вас ждет подлинный успех и личное счастье.

Маятники не являются для человека абсолютным злом, если он действует осознанно. Человек не может быть от них совершенно свободен. Вопрос лишь в том, как не поддаваться влиянию маятников, а сознательно использовать их в своих интересах. Трансерфинг предлагает конкретные методы, как это делать. Полностью освободиться от влияния маятников невозможно, да и не нужно. Напротив, именно маятники в конечном итоге превращают мечту человека в реальность.

Резюме

Маятник создается энергией людей, мыслящих в одном направлении.

Маятник является энергоинформационной структурой.

Маятник фиксирует мысленную энергию приверженца на своей частоте.

Между маятниками идет жесткая битва за приверженцев.

Деструктивный маятник навязывает приверженцам чуждые им цели.

Маятник играет на чувствах людей, завлекая их в свои сети.

Если вы чего-то активно не хотите, оно будет в вашей жизни.

Освободиться от маятника — значит выбросить его из своей жизни.

Выбросить из жизни означает не избегать, а игнорировать.

Для гашения маятника необходимо нарушить сценарий игры.

Благотворная визуализация мягко гасит человека-маятника.

Энергия погашенного маятника переходит к вам.

Проблемы решаются провалом или гашением создавших их маятников.

Для решения проблем сдавайте себя в аренду.

Чтобы избежать подвешенного состояния, надо найти ваши маятники.

Необходимо выработать привычку помнить обо всем этом.

Глава III

ВОЛНА УДАЧИ

Метафоры «синяя птица» или «колесо фортуны» имеют под собой вполне материальную основу. Известно, что удача и неудача следуют друг за другом, как белые и черные полосы. Как исключить черные полосы из своей жизни?

Ваши мысли возвращаются к вам бумерангом.

Антипод маятника

Теперь давайте проверим ваше домашнее задание. Какие маятники можно назвать конструктивными? Ответ: таких не бывает. Звучит парадоксально, но это так. Не обижайтесь, уважаемый Читатель, вопрос был провокационным. Главная и единственная цель *любого* маятника состоит лишь в том, чтобы получить энергию от приверженцев. Если энергия не поступает, он останавливается.

Маятник конструктивен только по отношению к себе, но никак не к вам. Что конструктивного, созидательного в том, что у вас отнимается энергия? Конечно, разные маятники деструктивны и агрессивны в разной степени. Например, трудно себе представить, чтобы клуб пляжного волейбола ополчился против клуба моржевания. И потом, членство в клубе пляжного волейбола вряд ли сломает вам жизнь. Однако данный маятник тоже питается энергией приверженцев, и, если им это занятие надоест, клуб умрет. Но это ничто в сравнении с членством в бандитской группировке, где можно лишиться свободы и жизни.

Можно возразить: если я хожу в фитнесс-клуб, где занимаюсь исключительно собой, тогда каким образом я отдаю энергию маятнику клуба? Все равно, даже занимаясь там только собой, вы обязаны соблюдать определенные правила. У себя дома вы можете делать, что хотите, но в клубе все его члены так или иначе действуют в одном направлении, выполняют установленные правила системы и таким образом отдают коллективную энергию маятнику. Если все члены клуба разбегутся, маятник перестанет получать подпитку и остановится.

Вопрос можно поставить по-другому: существуют ли энергетические структуры, которым не нужна ваша энергия? Оказывается, существуют. Одна из них — это *волна удачи*, или благоприятное стечение обстоятельств для вас лично. У каждого человека свои волны удачи. Часто бывает так: в чем-то повезет, а затем следует каскад других приятных неожиданностей. Словно наступила белая полоса в жизни. Подобный каскад имеет место далеко не всегда, но обязательно только в том случае, если первая удача вас обрадовала и создала вам приподнятое настроение.

«Колесо фортуны» или «синяя птица счастья» — это не просто абстрактные метафоры. Волна удачи образуется как скопление благоприятных для вас линий жизни. В пространстве вариантов есть все, и в том числе вот такие золотые жилы. Если вы попали на крайнюю линию такой неоднородности и поймали удачу, можете по инерции скользить на другие линии скопления, где следуют новые счастливые обстоятельства. Но если за первым успехом вновь пошла черная полоса, значит, вас зацепил деструктивный маятник и увел в сторону от золотой жилы.

Волна удачи приносит счастье, не отнимая при этом энергию. Ее можно сравнить с морской волной, которая выносит на берег выбившегося из сил пловца. Волна удачи переносит вас на счастливые линии жизни. Ей так же, как и маятнику, нет до вашей судьбы никакого дела, но и энергии вашей тоже не надо. Хотите — ложитесь на нее и плывите, не хотите — она без сожаления пройдет мимо. Волна удачи — временное образование, она не захватывает чужую энергию, поэтому в конечном итоге угасает, подобно морским волнам, разбивающимся о берег.

Волна удачи может дать о себе знать в виде хороших новостей. Она несет информацию из других линий жизни. Эти отголоски на текущей линии воспринимаются как добрые вести. Задача состоит в том, чтобы зацепиться за эту веревочку и вытащить себя на линии, откуда пришли хорошие новости. Там будут уже не просто новости, а удачные обстоятельства.

Может показаться, что волна приходит и уходит. На самом же деле волна удачи не двигается, не набирает силу и не ослабевает. В модели мы приняли термин «волна» для удобства восприятия. Как уже говорилось, волна удачи существует стационарно в пространстве вариантов, в виде скопления благоприятных линий. Это вы, двигаясь по линиям жизни, встречаете эту неоднородность как волну и подхватываете ее, впуская в свою жизнь, или удаляетесь от нее, увлеченные маятниками.

Волна не заинтересована в вас, поэтому ее легко потерять — она пройдет мимо и не вернется. Отсюда повелось всеобщее убеждение в том, что птицу счастья трудно поймать. На самом деле не нужно прилагать усилий, чтобы оседлать волну удачи. Это всего лишь вопрос вашего выбора. Если вы принимаете ее в свою жизнь, она с вами. Если же поддаетесь влиянию деструктивного маятника и проникаетесь его негативной энергией, вы уходите в сторону от волны удачи. Люди всегда так поступают: «имея, не хранят, потерявши, плачут». Птица счастья вовсе не против поклевать зерна с вашей руки. Ее не нужно ловить. Вполне достаточно просто не гнать прочь.

Это один из самых парадоксальных аспектов *свободы выбора*. Люди действительно могут выбирать себе счастье и удачу. И в то же время они не вольны от маятников, уводящих в сторону от волны удачи. Мы опять возвращаемся к прежней теме. Чтобы взять себе свободу выбора, необходимо *отказаться от зависимости*. Право на свободу от влияния чуждых маятников у нас тоже есть. Остается всего лишь выяснить, каким образом можно *взять себе эти права*.

Бумеранг

Как правило, у многих людей постоянно крутятся в голове какие-нибудь мысли. Если этот процесс не контролируется, очень часто верх берут негативные переживания. Нас больше всего волнует то, что пугает, тревожит, беспокоит, гнетет или вызывает недовольство. Так на протяжении тысячелетий формировалась психика человека под воздействием деструктивных маятников, которым выгодно держать человека в страхе, чтобы успешно манипулировать. Именно поэтому люди смутно представляют себе, чего они на самом деле хотят, но точно знают, чего не желают.

Давать волю негативной мыслемешалке означает вступать в игру с деструктивным маятником и излучать энергию на его частоте. Это очень невыгодная привычка. В ваших интересах сменить ее другой привычкой — сознательно контролировать свои мысли. Всякий раз, когда ваш разум ничем особо не занят, например вы едете в транспорте, просто гуляете или делаете работу, не требующую концентрации внимания, — включайте в себе позитивные мысли. Не думайте о том, чего вы не смогли достичь, — думайте о том, чего хотите добиться, и получите это.

Допустим, вам не нравится дом, в котором живете. Вы говорите себе: «Мне осточертел этот дом. Меня здесь все раздражает. Вот когда я перееду на новое место, я буду радоваться, а пока не могу ничего с собой поделать — ненавижу!» Учтите, с такими мыслями невозможно получить то, что ожидаете. Даже если переезд на новое место вопрос решенный, в новом доме вас ждет масса разочарований.

Ладно, скажете вы, но я же покидаю этот сарай и переезжаю в роскошный особняк! Какие еще разочарования могут меня там ждать? На этот счет можете не беспокоиться. Чем больше неприязни вы испытываете к приютившему вас домику, тем больше неприятных неожиданностей вас ожидает в новом дворце. А неприятности будут самого разного рода. Краны будут ломаться, краска слезать, стены рушиться, соседи донимать — в общем, будет все, чтобы сохранить параметры вашего негативного излучения. Новый дом или старый — какая разница? Всегда найдутся линии жизни со всеми удобствами, где вы по-прежнему будете недовольны. В пространстве вариантов имеется множество роскошных домов, где вы будете чувствовать себя как в аду.

Если же вам пока некуда переехать, тогда тем более вы так и останетесь жить в опостылевшей обстановке. Ведь вы не настроены на частоту той линии жизни, где вас ждет дом вашей мечты. В данный момент вы думаете о том, что не нравится, излучаете негативную энергию, и она как раз подходит к той линии, на которой вы находитесь. Поэтому придется торчать на ней до тех пор, пока не измените частоту своего излучения. А сделать это не так уж и сложно.

Во-первых, смиритесь и откажитесь от недовольства и неприязни. Всегда и во всем можно найти хорошие стороны и поводы для маленьких радостей. Пусть дом вам не нравится, но будьте ему, по крайней мере, благодарны за то, что он приютил вас. На улице дует ветер, идет дождь. Дом принимает это все на себя, а вас оберегает и согревает. Разве хотя бы это не заслуживает признательности? Если вы сейчас благодарны тому, что имеете, если испытываете любовь ко всем вещам, которые вас окружают и помогают вам существовать, вы излучаете позитивную энергию. Тогда, если захотите, вполне можете рассчитывать на улучшение своих условий. А когда будете переезжать, обязательно поблагодарите все, что вас окружало. Даже те вещи, которые выбрасываете, заслуживают благодарности. В такие моменты вы *транслируете* в окружающий мир позитивные колебания, и они обязательно к вам вернутся.

Во-вторых, думайте о том самом доме, который хотите иметь. Это делать сложнее, чем раздражаться от вещей, окружающих вас в данный момент. Зато цель того стоит. Что лучше, привычно реагировать, как устрица, на внешние раздражители или сделать небольшое усилие и сменить свои привычки? Смотрите рекламные проспекты с фотографиями домов, ходите по магазинам в поисках предметов обстановки, живите всеми мыслями о том, что хотите иметь. Мы всегда имеем вещи и ситуации, которые прочно владеют нашими мыслями. *Наши мысли всегда возвращаются к нам бумерангом.*

Можно привести еще много примеров того, как негативное отношение может испортить жизнь. Допустим, вы собираетесь в отпуск на юг. Но здесь сейчас погода просто отвратительна. Вы идете по улице, ежитесь от холодного ветра и мокнете под дождем. Понятно, радость от такой погоды трудно испытывать. Тогда будьте хотя бы нейтральны, чтобы игнорировать этот деструктивный маятник. Если же вы активно выражаете свое недовольство погодой, значит, принимаете маятник и раскачиваете его еще больше.

Вы говорите себе: «Вот скоро я приеду на юг и буду радоваться солнцу, теплому морю. А сейчас будь проклято это болото!» Так вот, при таком отношении вы не настроены на линию жизни, где вас ждет райское наслаждение. Вы туда и не попадете. Уже и билет на самолет есть? Ну и что? Вы будете лишь в пункте назначения, но вас там ждет плохая погода или другие неприятности. Хотя все наладится, стоит только настроиться на позитивную частоту.

Очевидно, недостаточно *не впускать* в себя негативную энергию. Нужно еще самим *не излучать* таковую. Например, вы в раздражении накричали на кого-то. Можете быть уверены, вслед за этим у вас будет какая-нибудь неприятность или проблема. В данном случае параметры вашего излучения удовлетворяют линиям жизни, где вы испытываете раздражение. Вот туда вас и переносит. На этих линиях плотность неприятностей выше среднего. Не нужно успокаивать себя оправданием, будто этой неприятности и так было не миновать. Мне нет нужды убеждать вас или что-то доказывать.

Просто понаблюдайте сами, как за любой вашей негативной реакцией следуют новые досадные вещи.

Вывод из всего этого очень простой и понятный: вы всегда находитесь на тех линиях жизни, параметрам которых удовлетворяет ваше энергетическое излучение. Вы впускаете в себя негативную энергию — неприятности будут в вашей жизни. Вы излучаете негативную энергию — она вернется в виде новых проблем как бумеранг.

Трансляция

Вместо того чтобы принимать игры деструктивных маятников, ищите маятники, игра которых будет в вашу пользу. Это означает завести привычку обращать внимание на все хорошее, позитивное. Как только вы увидели, прочитали или услышали о чем-нибудь хорошем, приятном, обнадеживающем — зафиксируйте это в своих мыслях и порадуйтесь. Представьте себе, что вы идете по лесу: там есть красивые цветы, а есть и ядовитые колючки. Что вы выберете? Если вы нарвали цветов бузины, принесли их домой и поставили в вазу, вскоре у вас заболит голова. Зачем вам это? Также вредно реагировать на деструктивные маятники. Лучше сорвать цветок жасмина, полюбоваться им и насладиться его ароматом. Впускайте в себя все позитивное, и тогда на вашем пути будет встречаться больше и больше хороших новостей и благоприятных возможностей.

Вот вы почувствовали вдохновение и радость. Но потом вас опять затягивает обыденная рутина. Праздник уходит, и наступают будни. Как сохранить в себе состояние праздника? Во-первых, *помнить* о нем. Мы по привычке окунаемся с головой в однообразные будни, забываем о чем-то хорошем, и оно перестает радовать. Это плохая привычка. Забывать нас заставляют маятники.

Нужно поддерживать в себе огонек праздника, лелеять это ощущение. Наблюдать за тем, как в лучшую сторону меняется жизнь, хвататься за любую соломинку радости, искать во всем добрые знаки. Это, по крайней мере, не скучно. Необходимо *помнить* каждую минуту, что вы занимаетесь Трансерфингом, сознательно идете к своей мечте, а значит, управляете своей судьбой. Одно это уже вселяет спокойствие, уверенность и радость, поэтому праздник всегда с вами. Когда ощущение праздника станет привычкой, тогда вы постоянно будете находиться на гребне волны удачи.

Радуйтесь всему, что имеете в данный момент. Это не пустой призыв быть счастливым по определению. Иногда обстоятельства складываются так, что быть довольным очень трудно. Но с чисто практической точки зрения выражать недовольство очень невыгодно. Ведь вы хотите попасть на те линии жизни, где вас все устраивает? Но как же вы туда попадете, если ваше излучение наполнено недовольством? Наоборот, частота такого излучения соответствует именно тем линиям, где вам плохо. Хорошие линии отличаются тем, что вам на них хорошо и ваши мысли наполнены радостью и удовлетворением.

Хорошие новости не так волнуют и быстро забываются. Плохие, напротив, вызывают живой отклик, потому что несут потенциальную угрозу. Не пускайте плохие новости в свое сердце, а значит, и в свою жизнь. Закрывайтесь для плохих и открывайтесь для хороших новостей. Любые позитивные изменения необходимо замечать и бережно лелеять. Это предвестники волны удачи. Как только вы услышали хоть малейшие обнадеживающие новости, не забывайте о них сразу, как делали раньше, а, наоборот, смакуйте, обсуждайте, охотьтесь за ними. Обдумывайте эти новости со всех углов зрения, радуйтесь, стройте прогнозы, ожидайте дальнейшего улучшения. Таким образом вы думаете на частоте волны удачи и настраиваетесь на ее параметры. Хороших новостей будет все больше, жизнь станет лучше. Это не мистика и не свойство человеческой психики отфильтровывать информацию, когда пессимист смотрит на мир через черные очки, а оптимист через розовые. Такова реальность: вы перемещаетесь на линии жизни, соответствующие параметрам энергии ваших мыслей.

Находясь в добрых отношениях с собой и окружающим миром, вы *транслируете* гармоничное излучение в окружающий мир. Вы создаете вокруг себя область гармоничных колебаний, где все складывается удачно. Позитивный настрой всегда ведет к успеху и созиданию.

Негативизм, напротив, всегда деструктивен, направлен на разрушение. Например, есть категория людей, которые *ищут проблемы, а не их решения*. Они всегда готовы оживленно обсуждать сложности и находить все новые препятствия. Такие люди обычно затрудняются предложить реальный выход, потому что они изначально настроены не на само решение, а на поиск сложностей. Нацеленность на поиск проблем приносит их в изобилии, но дело с места не двигается. Готовность к поиску и критике отрицательных сторон также всегда приносит соответствующие плоды: вреда предостаточно, а пользы никакой. Осмотритесь вокруг, и вы обязательно найдете таких людей среди вашего окружения. Они не плохие и не хорошие. Просто они крепко сидят на крючке у деструктивных маятников.

Большинство людей любое нежелательное событие в своей жизни принимают в штыки. Как правило, нежелательным для нас является событие, которое не укладывается в составленный нами сценарий. И напротив, за удачу мы принимаем только то, что соответствует нашим ожиданиям. Бывает так, что человек опаздывает на самолет, которому суждено разбиться, и очень расстраивается по этому поводу. И наоборот, упускает уникальный шанс, поскольку это не входило в его планы.

Чем хуже человек думает об окружающем мире, тем хуже этот мир для него становится. Чем больше он расстраивается по поводу неудач, тем охотнее приходят все новые. «Как аукнется, так и откликнется». Если человек выбрал такой способ существования, он каждый день занимается Трансерфингом наоборот: скользит на линии жизни, где его ждет сущий ад. Примите прямо противоположную позицию: назло радуйтесь неудачам, находите в них хоть малейшую пользу — это всегда возможно. Стакан не наполовину пустой, а наполовину полный. Банальная поговорка «Что не делается — все к лучшему» работает безотказно, если это ваше кредо. Необходимо упрямо придерживаться установки на хорошее, отказаться от старой привычки расстраиваться и досадовать по любому поводу.

Каждая неудача, по крайней мере, служит полезным уроком, делает вас сильнее и опытней. Радуйтесь любым проявлениям вашего мира, и он превратится в рай. Это, конечно, очень необычный способ поведения. Но ведь и цель совсем необычная — стать джином, исполняющим свои желания. Разве можно этого достичь обычными методами?

Поначалу это дается с трудом, поскольку старая привычка негативно реагировать на нежелательное держится очень прочно. Главное, необходимо научиться *помнить* при каждом досадном обстоятельстве о том, что это маятник пытается вас зацепить. Как только вы вспомнили, можете сознательно сделать выбор: отдать энергию маятнику, выплеснув свои отрицательные эмоции, или оставить его ни с чем и тем самым одержать победу.

Если вы *вспомнили*, провалить или погасить маятник уже совсем нетрудно. Мы всегда отдаем ему энергию бессознательно. Как уже говорилось, маятники дергают нас за нити чувств, а стартовым рычагом механизма захвата наших мыслей служат наши привычки. Даже прочитав эту главу и задавшись целью *помнить*, вы снова будете негативно реагировать на нежелательное. Потом, конечно, осознаете, что в тот момент вы просто *забыли* и действовали бессознательно, по привычке.

Однако стоит вам *вовремя вспомнить*, как ситуация окажется под вашим контролем. Вы усмехнетесь про себя: «А, это ты, маятник? Эге, сейчас меня так просто не зацепишь». Вы больше не марионетка, вы свободны сознательно принять или оттолкнуть маятник.

Если вы будете настойчиво практиковать такую технику, со временем старая привычка сменится новой. Но пока это произойдет, маятники будут всячески пытаться вас достать. Вы заметите, как будто нарочно, на вас наваливается множество досадных неприятностей. Не отчаивайтесь, в основном это будут мелкие неприятности. Если вы не сдадитесь и научитесь *помнить*, победа будет весьма впечатляющей, вот увидите.

А результат возможен такой: когда вы в очередной раз встретите волну удачи, маятник не сможет увести вас в сторону. Таким образом, птица счастья останется у вас в руках. Ну, а чтобы приманить ее, нужно транслировать вокруг себя позитивную энергию. То есть быть не только исключительно позитивным приемником, но и транслятором. В результате мир вокруг будет очень быстро меняться к лучшему. Вы будете легко скользить на все более успешные линии жизни. В конечном итоге к вам придет волна удачи, которая подхватит вас и стремительно понесет к успеху. Но не думайте, что Трансерфинг ограничивается только скольжением по волне удачи. Это лишь первые шаги. Дальше вас ждет еще много удивительных открытий.

Магические ритуалы

В заключение этой главы рассмотрим один частный случай техники настройки на частоту волны удачи. В разных ситуациях люди иногда неосознанно стремятся настроиться на частоту волны. Например, в начале дня торговцы готовы сделать первому покупателю значительную скидку. Они интуитивно чувствуют, что первый покупатель очень важен, — необходимо сделать почин, завязать торговлю. На языке Трансерфинга это означает настроиться на частоту линии успешной торговли. Просто сосредоточить на этом свои мысли трудно. А первый покупатель дает реальную надежду и веру, поэтому настройка происходит сама собой. Торговец садится на волну удачной торговли и излучает энергию мыслей с соответствующими параметрами. Он сам верит, что товар у него быстро расходится, и стоит ему вслух заикнуться об этом покупателю, как тот сразу же оказывается «захвачен» этим излучением и послушно совершает покупку, убежденный в том, что ему сегодня повезло.

Возьмем еще один пример. Торговцы на рынке иногда используют своеобразный магический ритуал — прикасаются к своему товару деньгами. Конечно, само по себе это действо никакой силы не имеет, поэтому магии, по сути, никакой нет. Однако если торговец верит в силу ритуала, это помогает ему настроиться на частоту линии успешной торговли. Настройка происходит на подсознательном уровне. Разумом человек лишь осознает внешнюю сторону: ритуал каким-то необъяснимым образом работает. И он действительно работает, но не сам по себе, а как театральный реквизит. Главную же роль играет мысленная энергия актера.

Для разных профессий в различных ситуациях существует множество подобных «магических» ритуальчиков. Люди в них верят и успешно применяют для того, чтобы настроиться на частоту успешной линии жизни и оседлать волну удачи. В принципе не имеет значения, во что люди будут верить — в магические свойства ритуала или в настройку на частоту линий. Как вы сами понимаете, важен лишь практический результат.

Резюме

Волна удачи есть скопление благоприятных линий в пространстве вариантов.

Каскад удач следует только в случае,если вы прониклись первым успехом.

Деструктивные маятники уводят вас в сторону от волны удачи.

Устранив зависимость от маятников, вы получаете свободу выбора.

Принимая и транслируя негативную энергию, вы создаете свой ад.

Принимая и транслируя позитивную энергию, вы создаете свой рай.

Ваши мысли всегда возвращаются к вам бумерангом.

Маятники вас не сбросят с волны,если вы имеете привычку помнить.

Привычка помнить вырабатывается систематической практикой.

Глава IV

РАВНОВЕСИЕ

Люди сами создают себе проблемы и препятствия, а затем тратят силы на их преодоление. В противоположность общепринятой точке зрения, Трансерфинг показывает, что причины проблем лежат совсем в другой плоскости. Как исключить проблемы из своей жизни?

Заботьтесь не беспокоясь.

Избыточные потенциалы

Все в природе стремится к равновесию. Перепад атмосферного давления выравнивается ветром. Разница в температурах компенсируется теплообменом. Везде, где бы ни появился *избыточный потенциал* любой энергии, возникают *равновесные силы*, направленные на устранение дисбаланса. Мы настолько привыкли к подобному положению вещей, что даже не задаемся вопросом: а почему, собственно, должно быть именно так? Почему работает закон равновесия? На этот вопрос нет ответа.

Вообще любые законы ничего не объясняют, а только констатируют факты. Все законы в природе являются вторичными, производными от закона равновесия. А он является первичным (по крайней мере, так кажется), поэтому невозможно объяснить, с какой стати в природе должно существовать равновесие. Точнее, откуда берутся равновесные силы и почему они вообще есть. Ведь то, что мы к этому привыкли, еще не означает, что так оно должно быть. Можно только гадать, каким бы стал мир без закона равновесия: превратился бы в некий аморфный кисель или в агрессивное пекло? Однако неприглядность такого мира еще не может служить причиной существования закона равновесия. Поэтому нам остается только принять это как факт и восторженно удивляться совершенству окружающего пространства, а также теряться в догадках, что же всем этим управляет.

Мы привыкли, что в жизни бывают белые и черные полосы, успех сменяется поражением. Это все проявления закона равновесия. Ведь как удача, так и неудача являются нарушением баланса. Полное равновесие — это когда вообще ничего не происходит, а вот абсолютного не бывает. Во всяком случае, этого еще никому не удавалось наблюдать. В мире постоянно наблюдаются колебания: день — ночь, прилив — отлив, рождение — смерть и так далее. Даже в вакууме идет непрестанное рождение и аннигиляция элементарных частиц.

Весь мир можно представить в виде маятников, которые раскачиваются, угасают и взаимодействуют друг с другом. Каждый маятник принимает толчки от своих соседей и передает им свои. Одним из основных законов, управляющих всей этой сложной системой, является закон равновесия. В конечном счете все стремится к равновесию. Вы сами тоже являетесь своего рода маятником. Если вам вздумается нарушить равновесие и резко качнуться в какую-нибудь сторону, вы заденете соседние маятники и тем самым создадите вокруг себя возмущение, которое потом обернется против вас.

Равновесие можно нарушить не только действиями, но и мыслями. И не только потому, что за ними следуют действия. Как вам известно, мысли излучают энергию. В мире материальной реализации все имеет под собой энергетическую основу. И все, что происходит на невидимом уровне, отражается в мире видимых материальных объектов. Может показаться, что энергия наших мыслей слишком мала, чтобы оказывать влияние на окружающий нас мир. Но при таком раскладе все было бы намного проще.

Впрочем, давайте не будем гадать, что там творится на энергетическом уровне, чтобы вконец не запутаться. Для наших целей вполне достаточно принять упрощенную модель равновесия: если появляется избыточный энергетический потенциал, возникают равновесные силы, направленные на его устранение.

Избыточный потенциал создается мысленной энергией тогда, когда какому-нибудь объекту придается слишком большое значение. Например, сравним две ситуации: вот вы стоите на полу в своем доме, а вот — на краю пропасти. В первом случае вас это нисколько не волнует. Во втором случае ситуация имеет очень большое значение — сделай вы одно неосторожное движение, и случится непоправимое. На энергетическом уровне тот факт, что вы просто стоите, имеет одинаковое значение как в первом, так и во втором случае. Но, находясь над пропастью, вы своим страхом нагнетаете напряженность, создаете неоднородность в энергетическом поле. Тут же возникают равновесные силы, направленные на устранение этого избыточного потенциала. Вы даже можете реально ощутить их действие: с одной стороны, необъяснимая сила притягивает вниз, а с другой — тянет отступить подальше от края. Ведь для того чтобы устранить избыточный потенциал вашего страха, равновесным силам требуется либо оттащить вас от края, либо сбросить вниз и покончить с этим. Вот это их действие вы и ощущаете.

На энергетическом уровне все материальные объекты имеют одинаковое значение. Это мы наделяем их определенными качествами: хорошее — плохое, веселое — грустное, привлекательное — отталкивающее, доброе — злое, простое — сложное и так далее. Все в этом мире подвергается нашей оценке. Сама по себе оценка не создает неоднородность в энергетическом поле. Сидя у себя в кресле, вы оцениваете: здесь сидеть безопасно, а вот стоять на краю пропасти опасно. Однако в данный момент вас это не беспокоит. Вы просто даете оценку, поэтому равновесие никак не нарушается. *Избытоный потенциал появляется только в том случае, если оценке придается излишне большое значение.*

Величина потенциала возрастает, если оценка, имеющая большое значение, при этом еще сильно искажает действительность. Вообще, если предмет для нас очень важен, мы не можем объективно оценить его качества. Например, предмет поклонения всегда избыточно наделяют достоинствами, предмет ненависти — недостатками, предмет страха — пугающими качествами. Получается, что мысленная энергия стремится искусственно воспроизвести определенное качество там, где его на самом деле нет. В таком случае создается избыточный потенциал, вызывающий ветер равновесных сил.

Смещение оценки, искажающей действительность, имеет два направления: наделение объекта либо излишне отрицательными качествами, либо излишне положительными. Однако сама по себе ошибка в оценке никакой роли не играет. Еще раз обратите внимание — смещение оценки порождает избыточный потенциал только в том случае, если оценка имеет большое значение. Только *важность* конкретно для вас наделяет оценку вашей энергией.

Избыточные потенциалы, будучи невидимыми и неощутимыми, тем не менее играют значительную и притом коварную роль в жизни людей. Действия равновесных сил по устранению этих потенциалов порождают львиную долю проблем. Коварство заключается в том, что человек зачастую получает результат, прямо противоположный намерению. При этом совершенно непонятно, что же происходит. Отсюда возникает ощущение, будто действует какая-то необъяснимая злая сила, своего рода «закон подлости». Мы уже касались этого вопроса, когда обсуждали, почему мы получаем то, чего активно не хотим. Посмотрим на следующем примере, как от нас ускользает, напротив, желаемое.

Существует ошибочное мнение, что если целиком и полностью посвятить себя работе, то можно добиться выдающихся результатов. С точки зрения равновесия совершенно очевидно, что «уйти в работу» — значит поставить на одну чашу весов эту самую работу, а на другую — все остальное. Равновесие нарушается, и последствия не заставляют себя долго ждать. Результат будет прямо противоположным ожидаемому.

Если для вас работать больше означает больше заработать или повысить свою квалификацию, то, конечно, необходимо приложить некоторые усилия, и ничего страшного не произойдет. Но во всем нужно знать меру. Если вы чувствуете, что сильно устаете, что работа стала для вас каторгой, значит, нужно сбавить темп или вообще сменить работу. Усилия сверх меры обязательно приведут к отрицательному результату.

Посмотрим, как это происходит. Помимо работы у вас имеется определенная система ценностей: дом, семья, развлечения, свободное время и так далее. Если вы противопоставили работу всему этому, то вы создали на ее месте очень сильный потенциал. Все в природе стремится к равновесию, значит, независимо от вашей воли возникнут силы, которые будут действовать на уменьшение избыточного потенциала. А действовать они могут самым различным образом. Например, вы заболеете, тогда ни о каком заработке говорить не придется. На вас может навалиться депрессия. А как же, ведь вы принуждаете себя делать то, что вам в тягость. Разум твердит: «Давай, надо зарабатывать деньги!» А душа (подсознание) удивляется: «Разве для того я пришла в этот мир, чтобы страдать и мучиться? Для чего мне все это?» В конце концов вы получите хроническую усталость, при которой ни о какой производительности не может быть и речи. Будет ощущение, что бьешься как рыба об лед, а толку никакого.

В то же время вы можете заметить, как рядом другие люди добиваются большего, затрачивая при этом гораздо меньше усилий. Получается, после достижения определенной степени значение, которое вы придаете своей работе, начинает зашкаливать. Чем больший вес для вас имеет работа, тем больше будет возникать всяких проблем. Вам будет казаться, что все эти проблемы возникают нормально, так сказать, «в рабочем порядке». На самом деле их будет гораздо меньше, если вы снизите свою «планку важности».

Вывод отсюда один: нужно сознательно пересмотреть свое отношение к работе, чтобы устранить избыточный потенциал. Обязательно должно быть свободное время, когда вы можете заниматься тем, что вам нравится помимо работы. Кто не умеет отдыхать, отключаться, тот не умеет работать. Приходя на работу, *сдайте себя в аренду*. Отдайте свои руки и голову, но не сердце. Маятнику работы нужна вся ваша энергия, но вы же пришли в этот мир не только для того, чтобы на него работать? Ваша эффективность в работе заметно возрастет, когда вы устраните свои избыточные потенциалы и освободитесь от маятников.

Сдавая себя в аренду, действуйте безупречно. Не допускайте мелких оплошностей, за которые вас смогут обвинить в элементарной халатности. Безупречность касается ваших обязанностей. Сдавать себя в аренду вовсе не означает действовать расхлябанно, безответственно. Это означает действовать отрешенно, не создавая избыточных потенциалов, но при этом четко выполнять то, что от вас требуется. В противном случае могут возникать неприятности. Например, в вашем окружении всегда найдутся люди, которые в отличие от вас погружаются в работу с головой. Они на подсознательном уровне почувствуют, что вы сдаете себя в аренду, то есть не прилагаете особых усилий, но в то же время действуете эффективно. Эти старательные особы интуитивно начнут искать повод, чтобы поймать конкурента на какой-нибудь оплошности. Как только вы совершите ошибку, они сразу набросятся на вас. Ошибка будет элементарной и потому досадной. Например, вы опоздаете, что-нибудь забудете или прозеваете. Будь вы с головой погружены в работу, на ошибку закрыли бы глаза. Но теперь вас обвинят в том, что вы относитесь к работе с прохладцей.

Подобные ситуации могут возникать не только на работе, но и в семье, в кругу знакомых. Поэтому необходимо в любой ситуации, где вы сдаете себя в аренду, выполнять свои обязанности четко, чтобы вас не смогли упрекнуть. За безупречностью должен следить ваш внутренний наблюдатель — *Смотритель.* Иначе снова погрузитесь в игру с головой. Внутренний Смотритель не имеет ничего общего с раздвоением личности. Вы просто в фоновом режиме подмечаете про себя, что и как делаете. К этому мы еще вернемся в следующих главах.

Можно возразить: а как же принято «вкладывать душу в свое дело»? Это смотря какое дело. «Уход в работу» оправдан только в одном случае — если работа является вашей целью. О том, что такое *ваша* цель, мы поговорим позже. В этом случае работа служит тоннелем, ведущим вас к успеху. Такая работа, наоборот, накачивает энергией, дает радость, вдохновение и удовлетворение. Если вы из тех редких счастливчиков, которые могут с уверенностью сказать так про свою работу, значит, вам не о чем беспокоиться.

Все изложенное в полной мере относится также и к учебе. Далее в этой главе мы рассмотрим прочие жизненные ситуации, в которых создаются избыточные потенциалы и какие при этом последствия несут с собой действия равновесных сил.

Недовольство и осуждение

Начнем с недовольства собой. Это проявляется в неудовлетворенности личными достижениями и качествами, а также в активном неприятии своих недостатков. Можно отдавать себе в них отчет, но особо не комплексовать по этому поводу. Но если недостатки не дают покоя и приобретают большое значение, создается избыточный потенциал. Равновесные силы тут же вступают в работу по устранению этого потенциала. Их действие может быть направлено либо на развитие достоинств, либо на борьбу с недостатками. Человек, соответственно, склоняется либо в ту, либо в другую сторону. Чаще всего человек выбирает борьбу, и такая позиция оборачивается против него. Скрывать недостатки бесполезно, а устранять трудно. Результат получается прямо противоположный, и ситуация еще больше усугубляется. Например, пытаясь скрыть свою застенчивость, человек становится еще более закрепощенным или, наоборот, не в меру развязным.

Если человек неудовлетворен своими достижениями лишь до той степени, что это служит толчком для самосовершенствования, равновесие не нарушается. Окружающий мир при этом не затрагивается, но и внутренний сдвиг равновесия компенсируется позитивными действиями. Если же человек начинает заниматься самобичеванием, обижается на себя или — еще хуже — наказывает себя, тогда возникает опасный случай ссоры души и разума. Ведь душа не заслужила такого отношения. Она самодостаточна и совершенна. Все недостатки, которые вы приобрели, — это недостатки разума, а не души. Впрочем, это такая большая и сложная тема, что она достойна отдельной книги. Здесь мы лишь отметим, что ссориться с самим собой в высшей степени невыгодно. Душа замкнется в себе, а «разум восторжествует», вследствие чего может произойти полный разлад в жизни. Чтобы не пришлось потом обращаться к психоаналитику, прежде всего отпустите себя и простите себе все недостатки. Если вы пока не можете себя полюбить, тогда, по крайней мере, перестаньте с собой бороться и примите таким, как есть. Только в этом случае душа будет союзником разума. А это очень могущественный союзник.

Ладно, скажете вы, я оставлю все мои недостатки в покое, ну, а как же мне приобрести достоинства? Ведь я не могу остановиться в своем развитии? Конечно, развивайте свои достоинства сколько угодно. Речь ведь идет только о том, чтобы прекратить войну со своими недостатками. В такой войне вы тратите энергию на поддержание не столько бесполезного, сколько весьма вредного избыточного потенциала. Когда вы наконец откажетесь от этой борьбы, освободившаяся энергия пойдет на развитие ваших достоинств.

Несмотря на то что все это звучит до банальности просто, очень много людей тратят колоссальную энергию на борьбу с собой и сокрытие своих недостатков. Они, словно титаны, обрекли себя всю жизнь поддерживать этот груз. Стоит им только позволить себе быть собой и сбросить тяжкое бремя, как сразу жизнь станет заметно легче и проще. Энергия будет перенаправлена от борьбы с недостатками на развитие достоинств. К тому же параметры такого излучения соответствуют линиям жизни, где достоинства преобладают над недостатками. Подумайте, например, как можно переместиться на линии жизни, где у вас хорошая физическая форма, если все ваши мысли только и вертятся вокруг телесных недостатков? Вы получаете то, чего активно не хотите.

Если в случае недовольства собой вы вступаете в конфликт со своей душой, то в случае недовольства миром вступаете в конфронтацию с большим числом маятников. Вам известно, что нет ничего хорошего в том, чтобы поддаваться их влиянию. А уж о войне с ними вообще лучше не думать.

Недовольство представляет собой вполне материальное излучение, частота которого хорошо подходит для тех линий жизни, где то, чем вы недовольны, проявляется еще более ярко. Чувствуя затягивание на эти линии, вы становитесь недовольны еще больше, и так продолжается до тех пор, пока не дойдете до той линии, где вы — старый больной человек, бессильный что-либо изменить. Остается лишь находить утешение в брюзжании на этот мир вместе с себе подобными да в воспоминаниях о том, как все было хорошо в прежние времена.

Каждое поколение уверено, что жизнь стала хуже. Нет, жизнь стала хуже лишь для каждого данного поколения, да и то лишь конкретно для тех, кто привык барахтаться в своем недовольстве этим миром. Иначе человечество (через столько-то поколений) просто скатилось бы в сущий ад. Угнетающая картина, не правда ли? Это первый аспект недовольства миром, приводящий к нарастающему ухудшению жизни.

Но есть и другой аспект этой вредной привычки проявлять неприятие: нарушение равновесного состояния. Ваше недовольство создает избыточный потенциал в окружающем энергетическом пространстве независимо от того, справедливо оно или нет. Потенциал порождает равновесные силы, которые будут стремиться восстановить равновесие. Было бы здорово, если бы эти силы действовали так, чтобы изменить ситуацию к лучшему. Но, к сожалению, часто все происходит наоборот. Равновесные силы будут стараться осадить вас так, чтобы ваши претензии к этому миру имели как можно меньший вес. Это им гораздо проще, чем изменить все, чем вы недовольны. Представьте себе, что будет, если правитель станет активно выражать недовольство всем, что происходит в его государстве. Причем не важно, хорошие у него побуждения или плохие. Он будет отстранен или физически уничтожен. Вся история является тому подтверждением.

В общем, действие равновесных сил будет направлено на то, чтобы уменьшить ваше влияние на окружающий мир. Это можно сделать очень легко и всевозможными способами: ваша должность, работа, зарплата, дом, семья, здоровье и так далее. Видите, как старшие поколения доходят до такой жизни?

Теперь посмотрим на этот вопрос с другой стороны. Казалось бы, если радоваться, наоборот, окружающему миру, то по аналогии равновесные силы должны стараться все испортить или задвинуть вас подальше. Однако так не происходит, если, конечно, радость не переходит в «телячью». Во-первых, по закону Трансерфинга вы транслируете созидательную энергию, которая переносит вас на положительные линии жизни. А во-вторых, такая энергия не создает тот деструктивный потенциал, который равновесные силы стремятся устранить. Недаром различные философские и религиозные толкования сходятся во мнении, что любовь является созидательной силой, сотворившей мир. Имеется любовь в общем смысле этого слова. Понятно, что равновесные силы являются порождением силы, сотворившей мир. Они стремятся поддерживать порядок в этом мире, и они не могут быть обращены против энергии, их создавшей.

Выходит, с точки зрения Трансерфинга, нам очень мешает вредная привычка проявлять недовольство по разным мелочам. И наоборот, привычка испытывать маленькие радости по разным, даже незначительным поводам очень выгодна. Вывод один: необходимо *заменить* старую привычку новой.

Техника смены привычек очень простая. Во-первых, как это ни банально звучит, не бывает худа без добра. Если вы зададитесь целью в любом отрицательном, на ваш взгляд, явлении отыскать положительные моменты, у вас это получится без труда. Превратите это в игру. Если играть в нее постоянно, место вредной привычки займет новая, очень полезная для вас и кошмарная для деструктивных маятников.

Во-вторых, если действительно пришла беда, при которой радоваться вообще противоестественно, можно взять пример с царя Соломона. Он носил на руке кольцо с надписью, повернутой вовнутрь, так что никто не видел, что там было. Когда Соломон сталкивался с бедой или трудноразрешимой проблемой, он поворачивал кольцо и читал следующие слова: «И это тоже пройдет».

Привычка выражать недовольство выработалась у человечества под влиянием деструктивных маятников, питающихся негативной энергией. С новой привычкой вы будете генерировать положительную энергию, которая мощным потоком вынесет вас на позитивные линии жизни.

Допустим, воодушевившись перспективами, вы начали практиковать технику замены. Должен сказать, скоро вы заметите, как стали заниматься этим все менее регулярно и время от времени просто забываете, что хотели сменить привычку. Это неизбежно, потому что привычка засела очень глубоко. Как только дадите слабину, маятник тут же найдет повод вас расстроить, и вы сами не заметите, как накормите его своей энергией. Не отчаивайтесь! Если намерение твердо, вы добьетесь своего и деструктивные маятники в конце концов оставят вас в покое. Просто нужно почаще *напоминать* себе о своем намерении.

Все мы гости в этом мире. Никто не имеет права осуждать то, что не им создано. Это утверждение следует понимать в свете отношений с маятниками. Как уже говорилось, если вы будете выступать против деструктивного маятника, который вызывает ваше недовольство, то лишь сделаете хуже себе. Не нужно быть смирной овечкой, но и вступать в открытую конфронтацию с окружающим миром тоже не следует. Если маятник выступает против вас лично, можете применить метод провала или гашения. Когда он пытается втянуть вас в битву с другим маятником, старайтесь отдавать себе отчет, нужно ли это лично вам.

Еще раз вернемся к примеру с не понравившейся вам экспозицией на выставке. Будьте как дома, но не забывайте, что в гостях. Никто не имеет права осуждать, но каждый имеет свободу выбора. Маятнику выгодно, чтобы вы активно выражали свое недовольство. Вам выгодно просто уйти и выбрать другую экспозицию. Предвижу вопрос: а если уйти некуда? Это заблуждение вам внушили маятники. Данная книга как раз посвящена тому, как избавиться от этого ложного ограничения.

Отношения зависимости

Идеализация мира есть обратная сторона недовольства. Взгляд на вещи приобретает розовые тона, и многое кажется лучше, чем есть на самом деле. Как вы знаете, когда кажется, что где-то есть нечто, чего на самом деле там нет, возникает избыточный потенциал.

Идеализировать — это значит переоценивать, возводить на пьедестал, поклоняться, создавать кумира. Любовь, созидающая и управляющая миром, отличается от идеализации тем, что она, по сути своей, бесстрастна, как это ни парадоксально звучит. *Безусловная любовь* — это чувство без права обладания, восхищение без поклонения. Другими словами, она не создает *отношений зависимости* между тем, кто любит, и предметом его любви. Эта простая формула поможет определить, где кончается чувство и начинается идеализация.

Представьте себе, вы гуляете по горной долине, утопающей в зелени и цветах. Вы любуетесь этим чудесным пейзажем, вдыхаете аромат живого воздуха, душа наполнена счастьем и умиротворением. Это любовь.

Затем вы начинаете собирать цветы: рвете их, мнете руками, не думая о том, что они живые. Потом цветы медленно умирают. Далее вам приходит в голову, что из них можно производить парфюмерию и косметику, или просто продавать, или вообще создать культ цветов и поклоняться им, как идолам. Это идеализация, потому что в любом случае создаются отношения зависимости между вами и предметом вашей бывшей любви — цветами. От той любви, которая существовала в тот момент, когда вы просто наслаждались зрелищем долины цветов, не осталось и следа. Чувствуете разницу?

Итак, любовь генерирует позитивную энергию, которая вынесет вас на соответствующую линию жизни, а идеализация создает избыточный потенциал, порождающий равновесные силы, стремящиеся его устранить. Действие равновесных сил в каждом случае разное, но результат один. В общих чертах его можно охарактеризовать как «развенчание мифов». Это развенчание происходит всегда, и в зависимости от предмета и степени идеализации вы получаете сильный или слабый, но всегда отрицательный результат. Так будет восстановлено равновесие.

Если любовь переходит в отношения зависимости, то неизбежно порождается избыточный потенциал. Желание иметь то, чего у вас нет, создает энергетический «перепад давления». Отношения зависимости определяются постановкой условия типа «если ты так... — тогда я так...». Примеров можно привести сколько угодно. «Если ты меня любишь, значит, бросишь все и пойдешь со мной на край света. Если ты не женишься на мне (не выйдешь за меня), значит, ты меня не любишь. Если ты меня хвалишь, тогда я с тобой дружу. Если ты не отдашь мне свою лопатку, я прогоню тебя из песочницы». Ну и так далее.

Равновесие нарушается и в том случае, если одно сравнивается с другим или противопоставляется. «Мы такие, а они — другие!» Например, национальная гордость: в сравнении с какими нациями? Чувство неполноценности: по сравнению с кем? Если есть противопоставление, равновесные силы обязательно включатся в работу, чтобы устранить потенциал — как положительный, так и отрицательный. Поскольку потенциал создаете вы, действие сил будет направлено прежде всего против вас. Действие направлено либо на то, чтобы «растащить» субъекты противоречия, либо соединить — к обоюдному согласию или для столкновения.

Все конфликты базируются на сравнении и противопоставлении. Сначала делается основное утверждение: «Они не такие, как мы». Далее оно развивается. «Они имеют больше, чем мы, — надо у них отобрать». «Они имеют меньше, чем мы, — мы обязаны им отдать». «Они хуже, чем мы, — надо их изменить». «Они лучше, чем мы, — нам надо с собой бороться». «Они поступают не так, как мы, — надо что-то с этим делать». Все эти сопоставления в различных вариациях так или иначе ведут к конфликту — начиная с личного душевного дискомфорта и кончая войнами и революциями. Равновесные силы стремятся устранить возникшее противостояние с помощью примирения или конфронтации. Но поскольку в таких ситуациях всегда можно поживиться энергией, маятники чаще всего доводят дело до конфронтации.

А теперь рассмотрим примеры идеализаций и их последствий.

Идеализация и переоценка

Переоценка есть наделение человека качествами, которыми он на самом деле не обладает. На ментальном уровне это проявляется в виде иллюзий, казалось бы, безобидных. Но на энергетическом уровне возникает избыточный потенциал. Потенциал создается везде, где есть перепад какого-нибудь количества или качества. Переоценка — это как раз мысленное моделирование и концентрация определенных качеств там, где их на самом деле нет. Здесь существуют два варианта. Первый вариант — когда место заполнено, то есть имеется конкретный человек, которого наделяют несвойственными ему качествами. Чтобы устранить возникшую неоднородность, равновесные силы должны создать противовес.

Например, романтичный и мечтательный юноша рисует в своем воображении свою возлюбленную как «ангела чистой красоты». А на деле оказывается, что она вполне приземленная особа, любит веселье и совсем не склонна разделять мечтания влюбленного юноши. В любом другом случае, когда человек создает себе кумира и возводит его на пьедестал, рано или поздно происходит развенчание мифа.

В связи с этим примечательна история Карла Мая, автора знаменитых романов о Диком Западе и создателя таких героев, как Верная Рука, Виннету и других. Все романы Май писал от своего имени, так что создавалось впечатление, будто он реально участвовал во всех событиях и являлся личностью поистине выдающейся и заслуживающей восхищения. Произведения Карла Мая настолько живые и колоритные, что возникает полная иллюзия, будто их мог написать только реальный участник событий. Читаешь его книги и словно смотришь кино. А сюжет настолько захватывающий, что Карла Мая окрестили «немецким Дюма».

Многочисленные поклонники Карла Мая были абсолютно уверены в том, что он и есть тот самый знаменитый вестмен — Разящая Рука, каковым он себя представлял в своих книгах. Иных мыслей почитатели не могли допустить. Ведь они нашли себе объект для восхищения и подражания, а когда кумир живет рядом, это вызывает еще больший интерес. Каково же было их удивление, когда стало известно, что Карл Май никогда не бывал в Америке, а некоторые произведения были им созданы в тюрьме. Произошло развенчание мифа, и поклонники обратились в ненавистников. Ну а кто виноват? Ведь они сами сотворили себе кумира и установили отношение зависимости: «Ты являешься нашим героем при условии, что все это правда».

Во втором варианте, когда на месте искусственно создаваемых иллюзорных качеств вообще нет никакого объекта, возникают розовые мечты и воздушные замки. Мечтатель витает в облаках, пытаясь уйти от неприглядной реальности. Тем самым он создает избыточный потенциал. Равновесные силы в таком случае, чтобы разрушить воздушные замки, будут постоянно сталкивать такого романтика с суровой действительностью. Даже если он сможет увлечь своей идеей массу людей и создать маятник, все равно утопия обречена, потому что избыточный потенциал возник на пустом месте, и равновесные силы рано или поздно остановят этот маятник.

Еще один пример, когда предмет переоценки существует только в идеале. Допустим, женщина рисует в своем воображении портрет идеального мужа. Чем тверже ее убеждение в том, что он должен быть именно таким-то, тем сильнее создаваемый избыточный потенциал. Ну, а погасить его можно только субъектом с качествами, совершенно противоположными.

Потом остается только удивляться: «И где же были мои глаза?» И наоборот, если женщина активно ненавидит пьянство и грубость, она словно попадает в ловушку и находит себе алкоголика или грубияна. Человек получает то, чего активно не приемлет, потому что излучает мысленную энергию на частоте своей неприязни, а вдобавок еще создает избыточный потенциал. Жизнь часто соединяет вместе людей совершенно разных, которые, казалось бы, совсем друг другу не подходят. Так равновесные силы, сталкивая людей с противоположными потенциалами, стремятся их погасить.

Особенно ярко действие этих сил проявляется на детях, потому что они энергетически более чувствительны, чем взрослые, и ведут себя естественно. Если ребенка излишне восхвалять, он начнет тут же из вредности капризничать. А если вы будете перед ним заискивать, он станет вас презирать или, по крайней мере, уважать уж точно не будет. Если всеми силами стремиться сделать из малыша благовоспитанного паиньку, он, скорее всего, свяжется с дурной компанией на улице. Если пытаться вылепить из него вундеркинда, он потеряет всякий интерес к учебе. И чем активней обрушивать на ребенка всевозможные кружки и школы, тем больше вероятность, что он вырастет серой личностью.

Наилучший принцип воспитания и отношения к детям (и не только), при котором не создается избыточный потенциал, — это обращаться с ними, как с гостями, то есть оказать им внимание, уважение и свободу выбора, не позволяя при этом садиться себе на голову. Отношение должно строиться по той же аналогии, что вы сами не более чем гость в этом мире. Если вы принимаете правила игры и не бросаетесь в крайности, вам дозволяется выбирать все, что есть в этом мире.

Позитивное отношение одних людей к другим так же распространено, как и негативное. В данном случае наблюдается некоторое равновесие. Есть ненависть и есть любовь. Ровное хорошее отношение не вызывает появления избыточного потенциала. Потенциал возникает, когда происходит заметное смещение оценки относительно номинальной величины. Нулевой отметкой в шкале смещения можно считать безусловную любовь. Как вы знаете, при ней не возникает отношений зависимости и она не создает избыточный потенциал. Но такая любовь в чистом виде встречается редко. В основном к чистой любви добавляются примеси права обладания, зависимости и переоценки. От права обладания трудно отказаться — обладать предметом любви вполне естественно и в общем нормально, пока это не переходит в две крайности.

Первая крайность — желание обладать предметом любви, который вам вовсе не принадлежит и даже не подозревает об этом желании. (Вы, конечно, понимаете, что я имею в виду не только физический аспект обладания.) Это классический случай неразделенной любви. Безответная любовь всегда порождала много страданий. Однако механизм здесь не такой простой, как может показаться. Вспомним опять пример с цветами. Вот вы любите гулять среди них и любоваться ими, но, наверное, никогда не задумываетесь, а любят ли они вас. Теперь попробуйте себе представить: что думают цветы о вас? Появляются разные нехорошие предположения типа: страх, опасение, неприязнь, равнодушие. А почему они должны вас любить? Или вот, вы загорелись желанием держать их в руках, а нельзя — они растут на клумбе или их дорого продают. Все, это уже не любовь, а отношение зависимости, и в вас уже закрадываются негативные эмоции.

Итак, в одном месте находится предмет вашей любви, в другом месте находитесь вы и хотите обладать им, то есть создаете энергетический потенциал. Можно предположить, что этот потенциал будет притягивать желанный предмет к вам, подобно воздушным массам, которые устремляются из области высокого в область низкого давления. Как бы не так! Равновесным силам безразлично, с помощью чего будет достигнуто равновесие, поэтому они могут избрать другой путь — отстранить предмет вашей любви еще дальше, а вас нейтрализовать, то есть разбить сердце. Вдобавок ко всему при малейших неудачах вы будете склонны все более драматизировать ситуацию («он / она меня не любит!»), поэтому такие мысли перетащат вас на линию жизни, где до взаимной любви очень далеко.

Чем сильнее желание обладания или ответной любви, тем сильнее действие равновесных сил. Конечно, если они изберут направление, сближающее вас с возлюбленным / возлюбленной, то история закончится счастливым концом. Направление действия равновесных сил легко определить в самом начале зарождения любви: если вам не дает покоя стремление добиться взаимности и с самого начала что-то не получается, значит, нужно резко сменить тактику. А именно — любить, не требуя награды, тогда неустойчивые колебания равновесных сил можно перетянуть и заставить работать на вас. В противном случае ситуация лавинообразно выйдет из-под контроля, и изменить что-либо будет почти невозможно.

Вывод один: желая добиться взаимности, надо просто любить, а не стараться быть любимым. В этом случае, во-первых, не создается избыточный потенциал, а значит, не появляются те 50 процентов вероятности, что равновесные силы будут действовать против вас. Во-вторых, если вы не стремитесь получить взаимность, не возникает и неконтролируемых драматических мыслей о неразделенной любви, и ваше излучение не затягивает вас на соответствующие линии жизни. Наоборот, если вы просто любите без права обладания, то параметры излучения удовлетворяют тем линиям жизни, где существует взаимность. Ведь при взаимной любви тоже нет отношений зависимости. Если вы и так уже имеете, нет повода беспокоиться о праве обладания. Представляете, как повышаются ваши шансы только оттого, что вы отказываетесь от права обладания! Да и потом, безусловная любовь — большая редкость, и одно это уже вызывает живой интерес и симпатию. Разве вам самим не будет приятно, если кто-то вас любит просто так, ни на что не претендуя?

Вторая крайность права обладания — это, конечно, ревность. В этом случае у равновесных сил тоже два варианта действия. Если предмет любви вам уже принадлежит, то первый вариант — еще больше вас сблизит. В самом деле, некоторым даже в какой-то степени нравится ревность второй половины. Но другой вариант действия равновесных сил сводится к разрушению того, что породило ревность, то есть самой любви. При этом чем сильнее ревность, тем глубже могила для любви. Это все равно что перейти от наслаждения ароматом живых цветов к производству из них парфюмерии.

Все изложенное одинаково относится к мужчинам и женщинам. Но это еще не финал. К данному вопросу мы еще вернемся, когда будем проходить другие концепции Трансерфинга. Вот так все просто и одновременно сложно. Сложно, потому что влюбленный человек теряет способность здраво рассуждать и эти рекомендации, скорее всего, пропадут даром. Ну, а я в свою очередь не буду по этому поводу расстраиваться, поскольку отказываюсь от права обладания вашей признательностью.

Презрение и тщеславие

Очень сильным нарушением равновесия является осуждение других людей, а в особенности презрение. В энергетическом плане хороших или плохих людей не бывает. Есть лишь те, кто подчиняется законам природы, и те, кто вносит возмущение в сложившееся «статус-кво». Последние всегда в конечном итоге подвергаются воздействию сил, стремящихся вернуть нарушенное равновесие.

Конечно, часто возникают ситуации, когда человек заслуживает осуждения. Именно вашего? Это не праздный вопрос. Если человек навредил именно вам, то этим, прежде всего, он нарушил равновесие, и вы являетесь не источником нездорового потенциала, а орудием сил, стремящихся вернуть равновесие. Тогда возмутитель спокойствия получит по заслугам, если вы скажете все, что о нем думаете, а то и предпримете определенные действия в разумных пределах. Но если предмет вашего осуждения не сделал конкретно вам ничего плохого, значит, не вам его обвинять.

Подойдем к этому вопросу чисто меркантильно. Согласитесь, совершенно бессмысленно испытывать ненависть к волку, задравшему овечку, когда вы наблюдаете за этим по телевизору. Чувство справедливости постоянно толкает нас к осуждению разных людей. Однако это быстро входит в привычку, и многие с годами превращаются в профессиональных обвинителей. В большинстве случаев вы понятия не имеете, что побудило человека поступить именно так. Может, на его месте у вас получилось бы еще хуже?

Итак, в результате такого осуждения вы создаете избыточный потенциал вокруг собственной персоны. А как же, ведь получается, что насколько плох подсудимый, настолько же хороши должны быть вы сами. Раз уж у него появились рога и копыта, то вы должны быть ангелом. Ну, а поскольку крылья у вас не растут, вступают в действие силы, стремящиеся вернуть равновесие. Методы этих сил будут разные в каждой конкретной ситуации. Но результат, по своей сути, получится один и тот же: вы получите щелчок по носу. В зависимости от силы и формы осуждения этот щелчок может быть либо незаметным, либо таким сильным, что вы окажетесь на одной из худших линий жизни.

Вы сами можете составить длинный список видов осуждения и их последствий, но я для ясности приведу несколько примеров.

Никогда не презирайте людей за что бы то ни было. Это наиболее опасный вид осуждения, поскольку в результате действия равновесных сил вы можете оказаться на месте того, кого презираете. Для сил это наиболее прямой и простой способ восстановить утраченную гармонию. Презираете нищих и бомжей? Сами можете потерять деньги и дом, вот и баланс восстановлен. Презираете людей с физическими недостатками? Без проблем, и для вас найдется несчастный случай. Презираете алкоголиков и наркоманов? Запросто можете оказаться на их месте. Ведь таковыми не рождаются, а становятся в силу разных жизненных обстоятельств. Так почему эти обстоятельства должны миновать вас?

Никогда не осуждайте своих коллег по работе за что бы то ни было. В лучшем случае вы совершите те же самые ошибки. В худшем — может возникнуть конфликт, который ничего хорошего вам не принесет. Можно вылететь с работы, даже если вы абсолютно правы.

Если вы осуждаете другого человека уже только за то, что вам не нравится, как он одет, вы сами становитесь в лестнице «хороший — плохой» на ступень ниже его, потому что излучаете негативную энергию.

Если человек гордится своими успехами или влюблен сам в себя, ничего плохого в том нет. Безотносительная любовь к себе самодостаточна, поэтому она никому не мешает. Равновесие нарушается только в том случае, если завышенной самооценке противопоставляется презрительное отношение к чужим слабостям, недостаткам или просто скромным достижениям. Тогда любовь к себе превращается в самолюбие, а гордость в тщеславие. Результатом действия равновесных сил опять же будет щелчок по носу.

Презрение и тщеславие — это пороки людей. Животные не ведают, что это такое. Они руководствуются целесообразным намерением и тем самым исполняют волю совершенной природы. Дикая природа совершенней разумного человека. Волк, как и любой хищник, не испытывает ни ненависти, ни презрения к своей добыче. (Попробуйте сами испытать ненависть и презрение к котлете.) А вот люди строят свои отношения друг с другом на сплошных избыточных потенциалах. Величие животных и растений состоит в том, что они его не осознают. Сознание принесло человеку как выгодные преимущества, так и вредный мусор вроде тщеславия, презрения, комплекса вины и неполноценности.

Превосходство и неполноценность

Чувство превосходства либо неполноценности — это отношение зависимости в чистом виде. Ваши качества сопоставляются с качествами других, поэтому неизбежно создается избыточный потенциал. На энергетическом уровне не имеет значения, выражаете вы свое превосходство публично или просто втайне поздравляете себя при сравнении с другими. Нет нужды доказывать, что явное выражение своего превосходства не принесет ничего, кроме неприязни окружающих. Сравнивая себя с другими в свою пользу, человек стремится искусственно самоутвердиться за чужой счет. Такое стремление всегда создает потенциал, даже если это просто тень высокомерия, не выраженная явно. Действие равновесных сил в таком случае всегда будет проявляться как щелчок по носу.

Понятно, что, сравнивая себя с окружающим миром, человек пытается доказать свою значимость. Но самоутверждение за счет сравнения — иллюзорно. Аналогично муха пытается пробиться через стекло, когда рядом открыта форточка. Когда человек стремится объявить миру о своей значимости, энергия тратится на поддержание искусственно созданного избыточного потенциала. Самосовершенствование, напротив, развивает реальные достоинства, поэтому энергия не тратится попусту и не порождает вредный потенциал.

Вам может казаться, что энергия, затрачиваемая на сопоставление, ничтожна. На самом деле этой энергии с избытком хватает для поддержания достаточно сильного потенциала. Главную роль здесь играет намерение направить энергию в ту или другую сторону. Если в качестве цели выступает желание приобрести достоинства, намерение катит человека вперед. Если же его целью является демонстрация миру своих регалий, он пробуксовывает на месте, создавая неоднородность в энергетическом поле. Мир будет «потрясен» блеском регалий, и в действие вступят равновесные силы. Выбор у них небольшой: либо оживить поблекшие краски окружающего мира, либо погасить блеск неуместной звезды. Первый вариант, конечно, слишком трудоемкий. Остается только второй. Способов сделать это у равновесных сил предостаточно. Для них вовсе не обязательно лишать честолюбца регалий. Достаточно преподнести ему любую досадную неприятность, чтобы сбить спесь.

Мы часто воспринимаем всякие неприятности, проблемы и препятствия как неотъемлемые свойства этого мира. Ни у кого не вызывает удивления, что все они, начиная с мелких и кончая крупными, являются непременными спутниками каждого человека в течение всей жизни. Все привыкли, что таков есть наш мир. На самом деле неприятность — это аномалия, а не нормальное явление. Откуда она берется и почему случается именно с вами, часто определить логическим путем невозможно. Так вот, большинство неприятностей, так или иначе, вызвано действиями равновесных сил по устранению избыточных потенциалов, созданных вами или людьми из вашего окружения. Вы сами не отдаете себе отчета, что создаете избыточные потенциалы, а затем принимаете неприятности как неизбежное зло и не понимаете это как работу равновесных сил.

Вы можете избавиться от большей части неприятностей, если освободите себя от титанических усилий, направленных на поддержание избыточных потенциалов. Титаническая энергия тратится не только впустую, но и обращает равновесные силы так, что результат получается прямо противоположный намерению. Таким образом, необходимо просто перестать биться как муха о стекло и перенаправить намерение на развитие достоинств, не заботясь о своем положении на лестнице превосходства. Сбросив с плеч груз озабоченности по поводу повышения собственной значимости, вы избавитесь от воздействия равновесных сил. Проблем станет меньше, а вслед за этим возрастет уверенность в своих силах.

С другой стороны, следует гнать прочь малейшие мысли о том, что вы способны контролировать окружающий мир. Независимо от положения на социальной лестнице с такой позицией вы обязательно окажетесь в проигрыше. Попытки изменить окружающий мир нарушают равновесие. Активное вмешательство в устройство мира в той или иной степени задевает интересы множества людей. Трансерфинг позволяет выбрать судьбу, не затрагивая при этом ничьих интересов. Это гораздо эффективней, чем действовать напролом, преодолевая препятствия. Судьба действительно в ваших руках, но лишь в том смысле, что вам дано ее выбирать, а не изменять. Действуя с позиций творца судьбы в буквальном смысле, многие люди терпят поражение. В Трансерфинге нет места для борьбы, поэтому можете с облегчением «закопать топор войны».

С другой стороны, отказ от превосходства не имеет ничего общего с самоуничижением. Принижение своих достоинств есть превосходство с обратным знаком. На энергетическом уровне знак не имеет значения. Величина возникающего потенциала прямо пропорциональна значению смещения оценки. Столкнувшись с важностью, равновесные силы действуют так, чтобы сбросить ее с пьедестала. В случае же с комплексом неполноценности они заставляют человека пытаться всячески поднять искусственно заниженные достоинства. Равновесные силы действуют обычно в лоб, не заботясь о тонкостях человеческих отношений. Поэтому человек ведет себя неестественно, тем самым еще больше подчеркивая то, что пытается скрыть.

Например, подростки могут вести себя дерзко, тем самым восполняя неуверенность в себе. Стеснительные могут вести себя развязно, чтобы скрыть свою застенчивость. Люди с низкой самооценкой, желая показать себя с наилучшей стороны, могут вести себя скованно или наигранно. Ну и так далее. В любом случае борьба со своим комплексом приносит еще более неприятные последствия, чем он сам.

Как вы понимаете, все эти попытки тщетны. Бороться с комплексом неполноценности бесполезно. Единственный способ избежать его последствий — это устранить сам комплекс. Однако избавиться от него довольно сложно. Уговаривать себя, что у вас все отлично, тоже бесполезно. Обмануть себя не удастся. Здесь может помочь техника слайдов, с которой мы познакомимся позже.

На данном этапе достаточно просто уяснить, что озабоченность своими недостатками в сравнении с достоинствами других работает так же, как желание показать свое сравнительное превосходство. Результат будет противоположный намерению. Не воображайте, будто все вокруг придают вашим недостаткам такое же значение, что и вы сами. На самом деле каждый озабочен только своей персоной, поэтому можно спокойно сбросить с себя титанический груз. Избыточный потенциал исчезнет, равновесные силы перестанут усугублять положение, а освободившаяся энергия будет направлена на развитие достоинств.

Речь идет о том, чтобы не бороться со своими недостатками и не пытаться их скрыть, а компенсировать другими качествами. Отсутствие красоты можно компенсировать обаянием. Есть люди с довольно непривлекательной внешностью, но стоит им заговорить, как собеседник целиком попадает под их очарование. Физические недостатки компенсируются уверенностью в себе. Сколько великих людей в истории обладали невзрачной внешностью! Неумение свободно общаться можно заменить умением слушать. Есть такая поговорка: «Все врут, но это ничего не меняет, потому что никто никого не слушает». Ваше красноречие может интересовать людей, но только в последнюю очередь. *Все*, так же как и вы, заняты исключительно собой, своими проблемами, поэтому хороший слушатель, которому можно все излить, — настоящий клад. Застенчивым людям можно посоветовать одно: берегите это свое качество как сокровище! Поверьте, застенчивость обладает скрытым обаянием. Когда вы откажетесь от борьбы со своей застенчивостью, она перестанет выглядеть неуклюже, и вы заметите, что люди испытывают к вам симпатию.

Ну и еще один пример компенсации. Надуманная потребность «быть крутым» очень часто толкает людей на подражание другим, добившимся звания «крутого». Бездумное копирование чужого сценария создаст не более чем пародию. У каждого есть свой сценарий. Вам достаточно просто выбрать свое кредо и жить в соответствии с ним. Подражать другим в достижении статуса «крутого» — значит пользоваться методом мухи, бьющейся о стекло. Например, в группе подростков вожаком становится тот, кто живет в соответствии со своим кредо. Вожак потому и стал таковым, что он сам освободил себя от обязанности советоваться с другими о том, как ему поступать. Ему нет необходимости кому-либо подражать, он просто сам установил себе достойную оценку, он сам знает, что делать, ни перед кем не заискивает, не пытается никому ничего доказать. Таким образом, он свободен от избыточных потенциалов и получает заслуженное преимущество. Лидерами в любых группах становятся те, кто живет в соответствии со своим кредо. Если человек избавил себя от груза избыточных потенциалов, ему нечего отстаивать — он внутренне свободен, самодостаточен и имеет больше энергии. Эти преимущества по сравнению с остальными членами группы и делают его лидером.

Видите, где находится открытая форточка? Может, вы думаете, что «все это не про меня, уж я то этим не страдаю». Не пытайтесь себя обмануть. *Любой* человек в той или иной степени склонен создавать избыточные потенциалы вокруг своей персоны. Но вообще, если вы будете придерживаться принципов Трансерфинга, комплекс неполноценности или превосходства просто исчезнет из вашей жизни.

Желание иметь и не иметь

«Много хочешь — мало получишь». Эта детская дразнилка имеет под собой основания. Только я бы ее перефразировал так: «Чем сильнее хочешь, тем меньше получишь». Когда вы чересчур сильно хотите что-либо получить, так, что готовы все поставить на карту, то создаете огромный избыточный потенциал, нарушающий равновесие. Равновесные силы отбросят вас на линии жизни, где желаемого предмета нет и в помине.

Если обрисовать картину поведения человека, одержимого желанием, на энергетическом уровне, то это будет выглядеть примерно так. Кабан пытается поймать синюю птицу. Он очень хочет ее заполучить и при этом облизывается, громко хрюкает и роет землю от нетерпения. Естественно, птица улетает. Если же ловец прогуливается рядом с синей птицей с безразличным видом, тогда у него очень велики шансы схватить ее за хвост.

Можно выделить три формы желания. Первая форма — это когда сильное желание переходит в твердое намерение иметь и действовать. Тогда желание исполняется. Потенциал желания при этом рассеивается, потому что его энергия уходит на действие. Во второй форме — это бездеятельное томительное желание, которое представляет собой избыточный потенциал в чистом виде. Он висит в энергетическом поле и в лучшем случае бесполезно расходует энергию страждущего, а в худшем — притягивает разные неприятности.

Самой коварной является третья форма, когда сильное желание переходит в зависимость от предмета желания. Высокая значимость автоматически создает отношение зависимости, которое порождает сильный избыточный потенциал, вызывающий столь же сильное противодействие равновесных сил. Обычно создаются установки примерно такого рода: «Если я этого добьюсь, мое положение станет намного лучше», «Если я этого не добьюсь, моя жизнь теряет всякий смысл», «Если я это сделаю, я себе и всем покажу, чего стою», «Если я это не сделаю, грош мне цена», «Если я это получу, будет очень здорово», «Если я это не получу, будет очень плохо». И так далее в различных вариациях.

Включаясь в отношения зависимости от предмета желания, вы вовлекаетесь в такой бурный водоворот, где просто выбьетесь из сил в борьбе за желаемое. В конце концов вы ничего не добьетесь и откажетесь от своего желания. Равновесие восстановлено, и равновесным силам абсолютно безразлично, что вы от этого пострадали. А произошло это из-за вашей сильной потребности, чтобы желание исполнилось. Желание оказалось на одной чаше весов, а все остальное на другой.

Исполнению подлежит только первая форма, когда желание превращается в *чистое намерение*, свободное от избыточных потенциалов. Все мы привыкли, что в этом мире за все надо платить, ничто не дается даром. На самом деле мы расплачиваемся только за избыточные потенциалы, которые сами же создаем. В пространстве вариантов все бесплатно. Коль уж мы выражаемся в таких терминах, в качестве оплаты за исполнение желания выступает отсутствие значимости и отношений зависимости. Для перехода на линию жизни, где желаемое превращается в действительность, достаточно лишь *энергии чистого намерения*. О намерении мы поговорим позже. А сейчас только отметим, что чистое намерение — это единство желания и действия при отсутствии значимости. Например, свободное намерение сходить в киоск за газетой является чистым.

Чем выше оцениваются события, тем вероятнее провал. Если вы придаете очень большое значение тому, что имеете, и очень дорожите этим, тогда, скорее всего, равновесные силы это отнимут. Если то, что вы хотите получить, тоже слишком важно, тогда не надейтесь этого получить. Необходимо снизить планку значимости, важности.

Например, вы без ума от вашей новой машины: сдуваете с нее пылинки, бережете, ухаживаете, боитесь поцарапать, в общем, лелеете и боготворите. В результате создается избыточный потенциал. Ведь это вы наделили машину таким большим значением. А на самом деле в энергетическом поле ее значимость равна нулю. В результате, и к сожалению, равновесные силы вскоре найдут обормота, который покалечит вашу машину. Или вы сами, будучи чересчур осторожными, куда-нибудь не впишетесь. Стоит только перестать боготворить свою машину и начать относиться к ней обыкновенно, как опасность для нее резко снизится. Относиться обыкновенно — вовсе не означает беспечно. Вы можете безупречно ухаживать за машиной, не делая из нее идола.

Есть и другой аспект сильного желания иметь. Существует мнение: если очень захотеть, то всего можно добиться. Казалось бы, можно предположить, что очень сильное желание вынесет вас на ту линию жизни, где оно исполняется. Однако это не так. Если ваше желание перешло в зависимость, своего рода психоз, истеричное стремление добиться своего во что бы то ни стало, значит, вы в душе не верите в его исполнение, а, следовательно, транслируете излучение с «сильными помехами». Если нет веры, вы стараетесь изо всех сил себя убедить, нагнетая потенциал еще больше. На «дело всей жизни» есть опасность потратить всю жизнь.

Единственно, что здесь можно сделать, — это снизить значимость цели. Идти к ней, как в киоск за газетой.

Сильное желание избежать чего-либо является логическим продолжением недовольства окружающим миром или собой. Чем сильнее потребность, тем мощнее избыточный потенциал. Чем больше вы этого не хотите, тем больше вероятность столкновения. Равновесным силам безразлично, как будет достигнут баланс. А достигнуто оно может быть двумя способами: либо отвести вас от столкновения, либо столкнуть. Лучше сознательно отказаться от неприятия, чтобы не создавать потенциал. Но это еще не все. Когда вы думаете о том, чего не хотите, вы излучаете энергию на частоте той линии, где это обязательно случится. Вы всегда получаете то, чего активно не хотите.

Происходит буквально следующее. Человек находится на торжественном приеме в посольстве, все кругом чинно, благовоспитанно, уравновешенно. И вдруг он начинает дико размахивать руками, топать ногами и отчаянно кричать, что *не хочет*, чтобы его сию минуту вывели отсюда. Естественно, появляется охрана, чудака берут под руки, он сопротивляется и вопит, но его немедленно выводят вон. Это слишком утрированная картина для реальности, но на энергетическом уровне все происходит с интенсивностью такой же силы.

Рассмотрим еще один пример. Допустим, вас среди ночи будит шум соседей. Вы хотите спать, завтра на работу, а там веселье в самом разгаре. Чем сильнее вы будете хотеть, чтобы они там заткнулись, тем больше вероятность того, что это затянется еще надолго. Чем больше вы будете злиться, тем неистовей станет веселье. Если вы их возненавидите в достаточной степени, можно гарантировать, что такие ночи будут повторяться все чаще и чаще. Для решения данной проблемы можно применить метод провала или гашения маятника. Гашение будет в том случае, если вы отнесетесь к ситуации с иронией. А можно вообще игнорировать, не проявлять никаких эмоций и интереса.

Тогда будет провал маятника, да и потенциал не возникнет. Пусть вам принесет спокойствие сознание того, что у вас есть выбор и вы знаете, как им воспользоваться. Вскоре соседи угомонятся. Вот так это работает, можете проверять.

Теперь вы можете проанализировать, в чем сами завысили значимость и какие проблемы в результате получили. Если дела совсем плохи, плюньте на значимость, стряхните с себя отношения зависимости и упрямо транслируйте положительную энергию. Чем хуже сейчас, тем лучше. Так можно оценить ситуацию, если вы считаете, что потерпели крупное поражение. Радуйтесь! В данном случае равновесные силы на вашей стороне, потому что их задача компенсировать плохое хорошим. Все время плохо быть не может, как не может быть все время хорошо. Никто не сможет всю жизнь лететь на волне удачи. На энергетическом уровне это выглядит примерно так. На вас напали, обругали, отобрали все, избили, а потом всучили мешок с деньгами. Чем больший урон вы понесли, тем больше найдется денег в мешке.

Чувство вины

Чувство вины — это избыточный потенциал в чистом виде. Дело в том, что в природе не существует таких понятий, как хорошо или плохо. Как хорошие, так и плохие поступки для равновесных сил эквивалентны. Равновесие восстанавливается в любом случае, если возникает избыточный потенциал. Вы поступили плохо, осознали это, испытали чувство вины (меня надо наказать) — создали потенциал. Вы поступили хорошо, осознали это, испытали чувство гордости за себя (меня надо наградить) — тоже создали потенциал. Равновесные силы не имеют понятия, за что надо наказывать или награждать. Они лишь устраняют созданные неоднородности в энергетическом поле.

Расплатой за чувство вины всегда будет наказание в той или иной форме. Если же его нет, тогда наказание может не последовать. К сожалению, чувство гордости за хороший поступок также повлечет за собой наказание, а не награду. Ведь равновесным силам необходимо устранить избыточный потенциал гордости, а награда его только усилит.

Индуцированное чувство вины, то есть привнесенное извне «правильными» людьми, создает потенциал в квадрате, поскольку человека и так мучает совесть, а тут еще обрушивается гнев праведников. И наконец, необоснованное чувство вины, связанное с врожденной склонностью быть «за все в ответе», создает наивысший избыточный потенциал. В этом случае вовсе не стоит испытывать угрызений совести — ведь причина просто надумана. Комплекс вины может здорово испортить жизнь, потому что человек постоянно подвергается действию равновесных сил, то есть всевозможным наказаниям за воображаемые провинности.

Вот почему существует такая поговорка: «Наглость — второе счастье». Как правило, равновесные силы не трогают людей, которых не мучают угрызения совести. А ведь так хочется, чтобы Бог наказал негодяев. Казалось бы, справедливость должна восторжествовать, а зло должно быть наказано. Однако природе не ведомо чувство справедливости, как это ни прискорбно. Наоборот, на порядочных людей с врожденным чувством вины постоянно обрушиваются все новые беды, а бессовестным и циничным злодеям часто сопутствует не только безнаказанность, но и успех.

Чувство вины обязательно порождает сценарий наказания, причем без ведома вашего сознания. В соответствии с этим сценарием подсознание приведет вас к расплате. В лучшем случае вы порежетесь, или получите легкие ушибы, или появятся какие-то проблемы. В худшем может быть несчастный случай с тяжелыми последствиями. Вот что делает чувство вины. Оно несет в себе только разрушение, в нем нет ничего полезного и созидательного. Не надо мучить себя угрызениями совести — это делу не поможет. Лучше поступать так, чтобы потом не испытывать чувства вины. А коли уж получилось, бессмысленно мучиться понапрасну, никому от этого лучше не станет.

Библейские заповеди — это не мораль в том понимании, что надо себя хорошо вести, а рекомендации о том, как поступать, чтобы не нарушать равновесие. Это мы, с нашими рудиментами детской психологии, воспринимаем заповеди так, как будто мама велела не шалить, а то поставит в угол. Напротив, наказывать нашкодивших людей никто и не собирается. Нарушая равновесие, люди сами создают себе проблемы. И заповеди лишь предупреждают об этом.

Как уже говорилось ранее, чувство вины служит ниткой, за которую человека могут дергать маятники, а в особенности манипуляторы. Манипуляторы — это люди, которые действуют по формуле: «Ты должен делать то, что я говорю, потому что ты виновен» или «Я лучше тебя, потому что ты не прав». Они пытаются навязать своему «подопечному» чувство вины, чтобы получить над ним власть или для самоутверждения. Внешне эти люди выглядят «правильными». Для них давно установлено, что есть хорошо, а что плохо. Они всегда говорят правильные слова, поэтому всегда правы. Все их поступки тоже безупречно правильные.

Однако надо сказать, что не все правильные люди склонны к манипулированию. Откуда же у манипуляторов потребность поучать и управлять? Она обусловлена тем, что в душе их постоянно терзают сомнения и неуверенность. Эту внутреннюю борьбу они искусно скрывают как от окружающих, так и от самих себя. Отсутствие внутреннего стержня, который есть у действительно правильных людей, толкает манипуляторов к самоутверждению за счет других. Потребность поучать и управлять возникает из желания укрепить свои позиции, принижая подопечного. Создаются отношения зависимости. Было бы здорово, если бы равновесные силы воздали манипуляторам за это по заслугам. Однако избыточный потенциал возникает только там, где есть напряженность, но нет движения энергии. В данном же случае подопечный манипулятора отдает ему свою энергию, поэтому потенциала нет, и манипулятор действует безнаказанно.

Как только кто-то выразил готовность принять на себя чувство вины, манипуляторы тут же приклеиваются и начинают сосать энергию. Для того чтобы не попасть под их влияние, нужно всего лишь отказаться от чувства вины. Вы не обязаны ни перед кем оправдываться и никому ничего не должны. Если действительно вина есть, можно понести наказание, но только не оставаться виноватым. А своим близким вы что-нибудь должны? Тоже нет. Ведь вы заботитесь о них по убеждению, а не по принуждению? Это совсем другое дело. Откажитесь от склонности оправдываться, если таковая имеется. Тогда манипуляторы поймут, что вас не за что зацепить, и оставят в покое.

Кстати, изначальной причиной комплекса неполноценности является чувство вины. Если вы хоть в чем-то испытываете неполноценность, значит, эта неполноценность определяется в сравнении с другими. Возбуждается следственный процесс, где вы сами выступаете в качестве судьи над самим собой. Но это только кажется, что судья вы сами. На самом деле происходит нечто другое. Изначально вы предрасположены взять на себя вину — неважно за что. Просто, в принципе, согласны быть виновным. А раз так, соглашаетесь, что можете быть подсудимым и понести наказание. Сравнивая себя с другими, вы позволяете им взять право иметь над вами превосходство. Заметьте, вы сами отдали им это право, позволили другим полагать, что они лучше вас! Они, скорее всего, так и не думают, но вы сами так решили и выступаете в качестве судьи над собой от имени других. Получается, это они судят вас, потому что вы сами отдали себя под суд.

Заберите обратно свое право быть собой и встаньте со скамьи подсудимых. Никто не посмеет вас судить, если сами не считаете себя виновным. Только вы добровольно можете дать другим привилегию быть вашими судьями. Может показаться, что я тут занимаюсь пустой демагогией. Ведь если имеются реальные недостатки, всегда найдутся люди, которые это подметят. Верно, действительно найдутся. Но только в том случае, если они почувствуют, что вы предрасположены взять на себя вину за свои недостатки. Если вы хоть на секунду осознаете себя виноватым в том, что хуже других, они это обязательно почувствуют. И наоборот, если вы свободны от чувства вины, никому в голову не придет самоутверждаться за ваш счет. Здесь проявляется очень тонкое влияние избыточного потенциала на окружающую энергетическую среду. С точки зрения здравого смысла в это трудно поверить на сто процентов. Однако на словах я ничего доказать не смогу. Не верите — проверяйте!

Есть еще два интересных аспекта чувства вины: власть и смелость. Люди, имеющие это чувство, всегда подчиняются воле других людей, его не имеющих. Если я потенциально готов признать, что могу хоть в чем-то быть виновен, я подсознательно готов понести наказание, а значит, готов к подчинению. А если у меня нет чувства вины, но есть потребность самоутверждения за счет других, я готов стать манипулятором. Я вовсе не хочу сказать, что люди подразделяются на манипуляторов и марионеток. Просто обратите внимание на закономерность. У господ и правителей чувство вины развито в наименьшей степени или его вообще нет. Чувство вины чуждо циникам и прочим обделенным совестью людям. Шагать по головам или по трупам — это их метод. Неудивительно, что к власти очень часто приходят нечистоплотные личности. Это опять же не означает, что власть — это плохо и все люди, стоящие у власти, — плохие. Может, ваше счастье тоже состоит в том, чтобы стать фаворитом маятника. Каждый для себя решает сам, как взвешивать свою совесть, — в этом никто не имеет права вам указывать. А вот от чувства вины в любом случае надо отказаться.

Другой аспект смелость — есть признак отсутствия чувства вины. Природа страха лежит в подсознании, и его причиной служит не только пугающая неизвестность, но и боязнь наказания. Если я «виновен», я потенциально согласен понести наказание, и поэтому я боюсь. В самом деле отважные люди не только не мучаются угрызениями совести, но и не страдают ни малейшим чувством вины. Им нечего бояться, поскольку их внутренний судья утверждает, что их дело правое. Пугливой жертве, напротив, свойственна совсем другая позиция: я не уверен, что поступаю правильно, меня могут обвинить, любой может меня наказать. Чувство вины, даже самое слабое и глубоко запрятанное, открывает подсознательные ворота для наказания. Если я испытываю чувство вины, значит, потенциально соглашаюсь, что грабитель или бандит имеет право на меня напасть, а поэтому я боюсь.

Люди придумали один интересный способ для рассеивания избыточного потенциала вины — просьба о прощении. Это действительно работает. Если человек носит в себе чувство вины, он стремится удержать негативную энергию и нагнетает избыточный потенциал. Попросив прощения, человек отпускает его и позволяет энергии рассосаться. Просьба о прощении, признание своих ошибок, замаливание грехов, исповедь — все это методы избавления от потенциала вины. Выписывая себе индульгенцию тем или иным способом, человек отпускает созданное им же самим обвинение, и ему становится легче. Необходимо только следить за тем, чтобы покаяние не перешло в зависимость от манипуляторов. Они только этого и ждут. Попросив прощения, вы признаете свою ошибку, чтобы сбросить потенциал. Манипуляторы будут стремиться напоминать вам об этой ошибке неоднократно, провоцируя вас поддерживать в себе чувство вины. Не поддавайтесь на их провокации, вы в праве просить прощения за ошибку только единственный и последний раз.

Отказ от чувства вины — самое действенное средство для выживания в агрессивной среде: в тюрьме, в банде, в армии, на улице. Недаром в преступном мире действует негласное правило: «Не верь, не бойся, не проси». Это правило призывает не создавать избыточных потенциалов. В основе потенциалов, которые могут сослужить вам плохую службу в агрессивной среде, лежит чувство вины. Можно охранять свою безопасность, демонстрируя свою силу. В мире, где выживает сильнейший, это срабатывает. Но это слишком экстенсивный способ. Гораздо эффективней действует исключение потенциальной возможности наказания из подсознания. В качестве иллюстрации можно привести такой пример. В бывшем Советском Союзе политических заключенных намеренно сажали к уголовникам, чтобы сломить их волю. Но получалось так, что многие из политических заключенных, будучи личностями незаурядными, не только не становились жертвами издевательств, но и завоевывали авторитет среди уголовников. Дело в том, что личная независимость и достоинство ценятся выше, чем сила. Физическая сила есть у многих, а вот сила личности — редкое явление. Ключ к собственному достоинству — в отсутствии чувства вины. Подлинная личная сила заключается не в способности взять кого-то за горло, а в том, насколько личность может себе позволить быть свободной от чувства вины.

Известный русский писатель Антон Павлович Чехов говорил: «Я по капле выдавливаю из себя раба». Этой фразой подчеркнуто стремление избавиться от чувства вины. Избавляться — значит бороться. Однако в Трансерфинге нет места борьбе и насилию над собой. Предпочтительней другое: *отказываться*, то есть *выбирать*. Не надо выдавливать из себя чувство вины. Достаточно просто позволить жить в соответствии с собственным кредо. *Вас никто не имеет права судить. Вы имеете право быть собой.* Если позволите себе быть собой, необходимость оправдываться отпадет, а страх перед наказанием развеется. Вот тогда произойдет поистине удивительная вещь: вас никто не посмеет обидеть. Причем где бы ни находились: в тюрьме, в армии, в банде, на работе, на улице, в баре — где угодно. Вы никогда не попадете в ситуацию, где кто-то будет угрожать насилием. Другие будут время от времени подвергаться насилию в той или иной форме, а вы нет, потому что изгнали из своего подсознания чувство вины, а значит, на данных линиях жизни сценарий наказания просто не существует. Вот так.

Деньги

Деньги трудно любить без стремления обладать ими, поэтому здесь практически невозможно избежать отношений зависимости. Можно только стараться свести их к минимуму. Радуйтесь, если к вам пришли деньги. Но ни в коем случае не убивайтесь по поводу недостатка или утраты денег, иначе их будет все меньше и меньше. Если человек мало зарабатывает, то типичной его ошибкой будет нытье по поводу того, что денег вечно не хватает. Параметры такого излучения соответствуют бедным линиям жизни.

Особенно опасно поддаваться тревоге, что денег становится все меньше. Страх является самой энергетически насыщенной эмоцией, поэтому, испытывая страх потерять или не заработать деньги, вы самым что ни на есть эффективным образом перемещаете себя на линии, где денег действительно становится все меньше и меньше. Если вы попались в эту ловушку, выбраться из нее будет довольно трудно, но можно. Для этого необходимо устранить причину избыточного потенциала, который сами создали. А причиной его является зависимость от денег или слишком сильное желание их иметь.

Для начала смиритесь и довольствуйтесь тем, что имеете. Помните, что всегда может быть и хуже. Не надо отказываться от желания иметь деньги. Надо лишь спокойно относиться к тому, что они пока не текут к вам рекой. Встать в позицию игрока, который в любой момент может либо разбогатеть, либо потерять все.

Многие маятники используют деньги в качестве универсального средства для расчетов с приверженцами. Именно деятельность маятников привела к всеобщей фетишизации денег. С помощью денег можно обеспечить себе существование в материальном мире. Почти все продается и покупается. Деньгами расплачиваются все маятники — выбирай любой. Здесь кроется опасность. Клюнув на приманку с ложным блеском, очень легко можно свернуть на линии жизни, далекие от вашего счастья.

Маятники, преследуя свои интересы, создали миф о том, что для достижения цели нужны средства. Таким образом, цель каждого отдельного человека подменяется искусственным заменителем — деньгами. Их можно получить у разных маятников, поэтому он думает не о самой цели, а о деньгах, и попадает под влияние чуждого ему маятника. Человек перестает понимать, чего же ему собственно хочется от жизни, и включается в бесплодную гонку за деньгами.

Для маятников такое положение вещей очень выгодно, а человек попадает в зависимость и сбивается с пути. Работая на чуждый маятник, он не может получить много денег, поскольку служит чужой цели. Очень многие находятся в таком положении. Вот откуда появился миф о том, что богатство — это привилегия меньшинства. На самом деле богатым может быть любой человек, если он идет к своей цели.

Деньги не цель и даже не средство ее достижения, а всего лишь сопутствующий атрибут. Целью является то, чего человек хочет от жизни. Вот примеры целей. Жить в своем доме и выращивать розы. Путешествовать по свету, смотреть дальние страны. Ловить форель на Аляске. Кататься на горных лыжах в Альпах. Разводить лошадей на своей ферме. Наслаждаться жизнью на своем острове в океане. Быть звездой эстрады. Рисовать картины.

Понятно, что некоторых целей можно достигнуть, имея мешок с деньгами. Большинство людей так и поступают — стремятся получить этот мешок. Они думают о деньгах, отодвигая саму цель на задний план. В соответствии с принципом Трансерфинга они пытаются перейти на линии жизни, где их ждет мешок. Но, работая на чуждый маятник, мешок денег получить очень трудно или вообще невозможно. Так и получается, что ни денег нет, ни цель не достигнута. Иначе и быть не может, ведь вместо цели излучение мысленной энергии настроено на искусственный заменитель.

Если вам кажется, что ваша цель может быть реализована только при условии, что вы — богатый человек, пошлите это условие ко всем чертям. Допустим, вы хотите путешествовать по свету. Очевидно, для этого нужно много денег. Чтобы достигнуть желаемого, думайте о цели, а не о богатстве. Деньги придут сами, поскольку являются сопутствующим атрибутом. Вот так просто. Не правда ли, звучит невероятно? Однако это действительно так, и скоро вы в этом убедитесь. Маятники, преследуя свою выгоду, перевернули все с ног на голову. Не цель достигается с помощью денег, а деньги приходят на пути к цели.

Вам теперь известно, насколько сильным влиянием обладают маятники. Это влияние породило множество заблуждений и мифов. Вот и сейчас, читая эти строки, вы можете возразить: но ведь и так ясно, что сначала человек становится крупным промышленником, или банкиром, или кинозвездой, а потом уже миллионером. Верно, вот только миллионерами стали только те, кто думал не о богатстве, а о своей цели. Большинство же людей поступают наоборот: либо служат чужой, не своей цели, либо подменяют ее искусственным заменителем, либо вовсе отказываются от нее из-за невыполнимого условия быть богатым.

На самом деле ограничений по богатству не существует. Вы можете хотеть все, что угодно. Если это действительно ваше, вы это получите. Если же цель навязана вам маятником, вы ничего не добьетесь. Более подробно о целях мы поговорим позже. Здесь я забегаю вперед, но иначе не получается, потому что о деньгах в общем-то сказать нечего. Опять повторюсь, деньги — это не более чем сопутствующий атрибут на пути к цели. Не беспокойтесь о них, они придут к вам сами. Сейчас главное — снизить значимость капитала до минимума, чтобы не создавались избыточные потенциалы. Не думайте о деньгах — думайте только о том, что хотите получить.

В то же время к деньгам нужно относиться внимательно и бережно. Если вы увидели на земле мелкую монетку и вам лень за ней нагнуться, значит, вы не уважаете их вовсе. Маятник денег вряд ли будет к вам расположен, если вы относитесь к его атрибутам небрежно.

Не нужно беспокоиться, когда вы тратите деньги. Тем самым они исполняют свою миссию. Если вы приняли решение их потратить, не жалейте. Стремление копить кругленькую сумму и как можно меньше тратить ведет к созданию сильного потенциала: в одном месте скапливается и никуда не уходит. В таком случае велика вероятность потерять все. Деньги нужно разумно тратить, чтобы было движение. Там, где нет движения, появляется потенциал. Богатые люди не зря занимаются благотворительностью. Так они снижают избыточный потенциал накопленного богатства.

Совершенство

Ну и наконец рассмотрим самый неоднозначный и парадоксальный случай нарушения равновесия. Начинается все с малого, но кончиться может весьма тяжелыми последствиями. Как правило, нас с детства приучают все делать старательно, на совесть, воспитывают чувство ответственности и прививают понятия о том, что есть хорошо, а что плохо. Несомненно, так и должно быть, иначе армия разгильдяев и бездарностей была бы огромной. Но особо рьяным приверженцам маятников это так западает в душу, что становится частью их личности.

Стремление к совершенству во всем у некоторых людей перерастает в навязчивую идею. Жизнь таких людей — одна сплошная борьба. Угадайте, с чем? Конечно, с равновесными силами. Установка на достижение совершенства везде и во всем дает осложнение на энергетическом уровне, так как оценки неизбежно смещаются, а, следовательно, создается избыточный потенциал.

В стремлении делать все хорошо нет ничего плохого. Но если этому придается избыточное значение, равновесные силы тут как тут. Они будут просто все портить. При этом возникает обратная связь, и человек все больше зацикливается. Ему хочется совершенства, а получается наоборот, он отчаянно пытается все исправить, а выходит еще хуже. В конечном итоге стремление к совершенству становится привычкой, а может перейти в манию. Существование превращается в сплошную борьбу, и это автоматически отравляет жизнь окружающим, потому что идеалист требователен не только к себе, но и к другим. Это проявляется в нетерпимости к чужим привычкам и вкусам, что часто служит поводом для мелких конфликтов, иногда перерастающих в крупные.

Со стороны хорошо видна вся нелепость попыток достичь во всем совершенства и при этом еще тиранить окружающих. Однако сам идеалист так глубоко входит в роль, что ему начинает казаться, будто он сам являет собой безупречную и непогрешимую личность. Дескать, раз я стремлюсь к эталону, значит, я сам эталон. В этом он даже себе не признается, потому как знает, что чувство собственного превосходства не укладывается в рамки общепринятых понятий о совершенстве. Но «чувство собственной правоты во всем» на подсознательном уровне у такого идеалиста сидит очень прочно.

Вот здесь идеалиста подстерегает искушение предстать пред человечеством в роли верховного судьи, решающего, что и как следует делать всем остальным заблудшим душам. Естественно, он легко поддается этому искушению. Ведь в качестве оправдания выступает чувство собственной правоты, а стремлением движет праведное желание наставить всех на путь истинный.

С этого момента «вершитель судеб», облачившись в мантию, присваивает себе право судить других людей и выносить им приговор. На деле такой судебный процесс, конечно, не выходит за рамки бытовых обвинений и наставлений. Однако на энергетическом уровне создается мощнейший избыточный потенциал. «Судья» возлагает на себя миссию решать, как следует себя вести этим неразумным и никчемным созданиям, о чем им надлежит думать, что ценить, во что верить, к чему стремиться. Если заморыш вздумает иметь свое мнение на этот счет, его надо поставить на место, а будет упорствовать, значит — судить, вынести приговор и повесить ярлык, чтобы все знали, кто есть кто.

Я уверен, ваш портрет, дорогой Читатель, очень далек от нарисованного здесь. Данная книга не может попасть в руки кретина, убежденного в своей правоте. Ему и так ясно, как следует жить всем, в этом отношении его сомнения не терзают. Но если вы такого встретите, посмотрите на этот экземпляр с интересом. Здесь налицо образец самого грубого нарушения закона равновесия. Все мы гости в этом мире, каждый волен выбирать свой путь, но никто не имеет права судить других, выносить им приговор и вешать ярлык (оставим в стороне уголовное право).

Вот так, начинается вроде безобидно, со стремления к совершенству, а кончается претензией на привилегии хозяина. Поэтому и сопротивление равновесных сил, проявлявшееся раньше в виде мелких неприятностей, будет нарастать. Если нарушитель находится под покровительством маятника, то это может ему сходить с рук до поры до времени. Но в конечном итоге придет время платить по счетам. Когда гость забывает, что он всего лишь гость, и начинает претендовать на роль хозяина, его могут вышвырнуть вон.

Важность

Наконец, рассмотрим наиболее общий тип избыточного потенциала — важность. Она возникает там, где чему-то придается избыточное значение. Важность представляет собой избыточный потенциал в чистом виде, при устранении которого равновесные силы формируют проблемы для того, кто этот потенциал создает.

Существует два вида важности: *внутренняя* и *внешняя*. Внутренняя, или собственная, проявляется как переоценка своих достоинств или недостатков. Формула ее звучит так: «Я важная персона» или «Я выполняю важную работу». Когда стрелка значимости собственной персоны зашкаливает, за дело берутся равновесные силы, и «важная птица» получает щелчок по носу. Того, кто «выполняет важную работу», тоже ждет разочарование: либо работа будет никому не нужна, либо будет выполнена очень плохо. Но раздувание щек и растопыривание пальцев — это только одна сторона медали. Существует еще обратная сторона, а именно — принижение своих достоинств, самоуничижение. Что за этим следует, вам уже известно. Как вы понимаете, величина избыточного потенциала в обоих случаях одинакова, разница только в знаках.

Внешняя важность также искусственно создается человеком, когда он придает большое значение объекту или событию окружающего мира. Ее формула: «Для меня большое значение имеет то-то» или «Для меня очень важно сделать то-то». При этом создается избыточный потенциал, и все дело будет испорчено. Если чувство внутренней важности вы еще можете как-то обуздать, то с внешней дела обстоят хуже. Представьте, что вам необходимо пройти по бревну, лежащему на земле. Нет ничего проще. А теперь вы должны пройти по тому же бревну, перекинутому через крыши двух высотных домов. Это для вас очень важно, и вам не удастся убедить себя в обратном. Единственным способом устранения внешней важности является страховка. В каждом конкретном случае страховка будет своя. Главное — не ставить все на одну чашу весов. Должен быть какой-то противовес, защита, запасной путь.

Больше мне об этом нечего сказать. По сути дела, о важности уже все сказано выше. Вы догадываетесь? Все, о чем велась речь в этой главе, — это вариации на тему важности, внутренней или внешней. Все неравновесные чувства и реакции — негодование, недовольство, раздражение, беспокойство, волнение, подавленность, смятение, отчаяние, страх, жалость, привязанность, восхищение, умиление, идеализация, преклонение, восторг, разочарование, гордость, чванство, презрение, отвращение, обида и так далее — есть не что иное, как проявления важности в той или иной форме. Избыточный потенциал создается только тогда, когда вы придаете избыточное значение качеству, объекту или событию — внутри или вне себя.

Важность создает избыточный потенциал, вызывающий ветер равновесных сил. Они, в свою очередь, порождают массу проблем, и жизнь превращается в одну сплошную борьбу за существование. Теперь вы сами можете судить, насколько внутренняя и внешняя важность усложняет вам жизнь.

Но это еще не все. Вспомните про *нити марионеток*. Маятники цепляются за ваши чувства и реакции: страх, беспокойство, ненависть, любовь, поклонение, чувство долга, вины и другие. Как вы понимаете, все это —

следствия важности. Происходит буквально следующее. Вот перед вами некий объект. На энергетическом уровне он нейтрален: ни хороший, ни плохой. Вы подошли к нему, завернули в *упаковку важности*, отошли в сторону, посмотрели — и ахнули. Теперь вы готовы отдать энергию маятнику, потому что вас есть за что зацепить. Ослик будет послушно плестись за морковкой. Важность представляет собой ту самую морковку, с помощью которой маятник сможет захватить частоту вашего излучения, тянуть из вас энергию и вести, куда ему будет угодно.

Таким образом, чтобы войти в равновесие с окружающим миром и получить свободу от маятников, необходимо *снизить важность*. Надо постоянно контролировать, насколько важно вы воспринимаете себя и окружающий мир. Внутренний Смотритель не должен спать. Снизив важность, вы сразу войдете в равновесное состояние, а маятники не смогут установить над вами контроль — ведь пустоту не за что зацепить. Вы можете возразить: этак недолго превратиться в истукана. Я не призываю вас вообще отказаться от эмоций или снизить их амплитуду. Вообще с эмоциями бороться бесполезно и не нужно. Если вы пытаетесь держать себя в руках и внешне соблюдаете спокойствие в то время, как внутри все клокочет, избыточный потенциал еще больше усугубляется. Эмоции порождаются отношением, поэтому изменить следует *отношение*. Чувства и эмоции — это лишь следствия. Причина только в одном: важность.

Допустим, у меня кто-то родился, умер, или свадьба, или еще какое-нибудь важное событие. Для меня это важно? Нет. Мне это безразлично? Тоже нет. Улавливаете разницу? Просто я не делаю из этого проблему и не извожу по этому поводу себя и окружающих. Ну, а как насчет сострадания? Я думаю, не ошибусь, если скажу, что сострадание и помощь тем, кто действительно в этом нуждается, вреда еще никому не принесли. Но и здесь необходимо следить за важностью. Я оговорился, что помощь можно оказывать лишь тем, кто действительно в ней нуждается. А если человек сам хочет страдать? Ему так нравится, и ваше сострадание для него — способ самоутверждения за ваш счет. Или, например, вы увидели нищего калеку и подали ему денег, а он вам в след злобно ухмыльнулся, и вовсе это не калека, а профессиональный нищий.

В мире животных и растений, да и вообще в природе, нет такого понятия, как важность. Есть только целесообразность с точки зрения выполнения законов равновесия. Чувство собственной важности может проявляться только у домашних животных, живущих рядом с людьми. Да, социум и на них оказывает некоторое влияние. Остальные животные в своем поведении руководствуются только инстинктами. Важность — это изобретение людей на радость маятникам. Сильное отклонение в сторону внешней важности порождает фанатиков. А отклонение в сторону внутренней важности — кого бы вы думали? Самодуров.

Может создаться впечатление, что с таким раскладом вообще страшно и шаг ступить. К счастью, все не так плохо. Равновесные силы начинают ощутимо действовать на вас только в случае, если вы сильно привязаны к своим представлениям, зациклены и действительно перегибаете палку. С маятниками тоже все ясно. Все мы находимся под их влиянием. Главное, отдавайте себе отчет, каким образом они прибирают вас к рукам и насколько далеко вы позволяете им в этом зайти.

Снижение важности не только значительно уменьшит количество проблем в вашей жизни. Отказавшись от внешней и внутренней важности, вы получаете такое сокровище, как *свободу выбора*. Как же, спросите вы, ведь в соответствии с первым принципом Трансерфинга мы и так имеем право выбирать? Иметь-то имеете, но не можете взять. Не дают равновесные силы и маятники. Из-за важности вся жизнь проходит в борьбе с равновесными силами. Не остается энергии не только на сам выбор, но и на то, чтобы подумать, а чего же, собственно, я хочу от жизни. А маятники постоянно норовят установить контроль и навязать чуждые цели. Какая уж там свобода?

Любая важность, как внутренняя, так и внешняя, надумана. Все мы ровным счетом ничего не значим в этом мире. И в то же время нам доступны все богатства этого мира. Представьте, как дети весело плескаются в прибрежных волнах. Допустим, что никто из них не воображает, что он хороший или плохой, вода хорошая или плохая, другие дети хорошие или плохие. Пока сохраняется такое положение, дети счастливы — они находятся в равновесии с природой. Также любой человек пришел в этот мир как дитя природы. Если он не нарушает равновесия, ему доступно все лучшее, что здесь есть. Но как только человек начинает изобретать важность, сразу появляются проблемы. Он не видит причинно-следственной связи между созданной важностью и проблемами, поэтому ему кажется, что мир — это изначально враждебная среда, где не так просто получить желаемое. На самом деле *единственным препятствием на пути к исполнению желания является искусственно созданная важность*. Возможно, я до сих пор еще не смог убедить вас в этом. Однако мои аргументы еще далеко не исчерпаны.

От борьбы к равновесию

А можно ли как-то противостоять равновесным силам? Именно этим мы с вами каждый день и занимаемся. Вся жизнь состоит из борьбы с равновесными силами. Все трудности, неприятности и проблемы связаны с работой равновесных сил. В любом случае противодействие равновесным силам бессмысленно, они все равно будут делать свое дело. Усилия, направленные на устранение следствия, ни к чему не приведут. Напротив, ситуация будет только усугубляться. Единственное средство против равновесных сил — это устранение причины, а именно снижение породившего их избыточного потенциала важности. Жизненные ситуации настолько многообразны, что нельзя дать универсальный рецепт для решения всех проблем. Я здесь могу привести только общие рекомендации.

Каждый человек только тем и занимается, что строит стену на фундаменте важности, а затем пытается перелезть через нее или пробить головой. Вместо того чтобы преодолевать препятствие, не лучше ли вытащить кирпич из основания, чтобы стена рухнула? Все мы отчетливо видим свои препятствия. Но увидеть, на каком фундаменте они держатся, далеко не всегда просто. Если вы столкнулись с проблемной ситуацией, постарайтесь определить, где вы перегибаете палку, на чем зацикливаетесь, чему придаете избыточное значение. Определите свою важность, а затем откажитесь от нее. Стена рухнет, препятствие самоустранится, проблема решится сама собой. *Не преодолевайте препятствия — снижайте важность.*

Снижать — еще не означает бороться со своими чувствами и пытаться подавить их. Избыточные эмоции и переживания есть следствия важности. Устранять следует причину — отношение. Можно посоветовать относиться к жизни философски, насколько это возможно. Хотя этот призыв уже набил оскомину. Необходимо осознать, что важность не принесет с собой ничего, кроме проблем, а затем намеренно снизить ее.

Понижение внешней важности не имеет ничего общего с пренебрежением и недооценкой. Напротив, пренебрежение есть важность с обратным знаком. К жизни нужно относиться проще. Не пренебрегать, но и не приукрашивать. Поменьше размышлять о том, какие люди — хорошие или плохие. Принимать мир в его обыденном проявлении.

Понижение внутренней важности не имеет ничего общего со смирением и самоуничижением. Каяться в своих ошибках и грехах — то же самое, что выпячивать свои достоинства и достижения. Различие здесь только в знаке: плюс или минус. Ваше раскаяние может быть нужно только маятникам, желающим установить над вами контроль. Примите себя таким, как есть. Позвольте себе роскошь быть собой. Не превозносите и не принижайте свои достоинства и недостатки. Стремитесь к внутреннему покою: вы не важны и не ничтожны.

Если ваше положение очень сильно зависит от какого-то события, найдите запасной вариант. Чтобы спокойно пройти по бревну, нужна страховка. В каждом конкретном случае она будет своя. Просто задайте себе вопрос, что может служить в данном случае в качестве страховки. Помните, что бороться с равновесными силами бесполезно. Страх или волнение подавить нельзя. Можно только снизить важность. А это может только страховка или запасной вариант. Никогда не ставьте все на одну карту, какой бы верной она ни была!

Единственная вещь, которая не создает избыточный потенциал, — это чувство юмора, способность посмеяться над собой и беззлобно, чтобы не обидеть, над другими. Уже одно это не позволит вам превратиться в бесчувственный манекен. Юмор — это само отрицание важности, карикатура на важность.

При решении проблем необходимо соблюдать одно золотое правило. Прежде чем браться за решение проблемы, необходимо снизить ее важность. Тогда равновесные силы не будут мешать, и проблема решится легко и просто.

Для того чтобы снизить важность, необходимо для начала *вспомнить* и отдать себе отчет: проблемная ситуация возникла вследствие важности. До тех пор пока вы, как во сне, не объясните себе, что любая проблема есть порождение важности, и погрузитесь в эту проблему с головой, вы будете всецело во власти маятника. Остановитесь, отряхнитесь от наваждения и вспомните, что такое важность. Потом намеренно измените свое отношение к ее объекту. Это уже нетрудно. Ведь вам известно, что всякая значимость только мешает. Главная трудность состоит в том, чтобы вовремя *вспомнить*, что вы барахтаетесь во внутренней или внешней важности. Для этой цели требуется ваш Смотритель — внутренний наблюдатель, который постоянно следит за всеми вашими внутренними ценностями.

Мысли человека захватываются важностью точно так же, как мышцы непроизвольно напрягаются. Например, когда вас что-то гнетет, мышцы плеч или спины находятся в спазматическом напряжении. Вы не замечаете этого напряжения, пока не появится боль. Но если вовремя *вспомнить* и обратить внимание на свои мышцы, вы сможете сбросить зажимы.

Ловите себя на важности всякий раз, как готовитесь к какому-то событию. Если событие для вас действительно имеет большое значение, не нагнетайте еще больше. Лучший рецепт: спонтанность, импровизация, легкое отношение. Подготовка должна быть только в качестве страховки. Ни в коем случае нельзя «готовиться серьезно и тщательно» — это усиливает важность. Бездеятельное переживание еще больше нагнетает ее. *Потенциал важности рассеивается действием.* Не думайте — действуйте. Если не можете действовать — не думайте. Переключите внимание на другой объект, отпустите ситуацию.

Наивысшей эффективности любого действия можно добиться, если убрать фокус внимания *с себя* как исполнителя и *с конечной цели*, и перенести его *на процесс* выполнения действия. В этом случае «я не выполняю важную работу» и «работа не является важной», таким образом устраняются избыточные потенциалы и равновесные силы не мешают. Действие выполняется бесстрастно, но вовсе не расхлябанно и не беззаботно. У вас может возникнуть сомнение: почему необходимо убрать фокус внимания с конечной цели? Как можно выполнять работу, не думая о конечной цели?

Понимание этого неочевидного факта придет к вам в следующих главах книги.

Почему иногда получается так, что вы очень опасаетесь какого-нибудь события, постоянно думаете о нем, представляете в своем воображении всякие сопутствующие сложности и проблемные ситуации, а в итоге все оканчивается просто и благополучно? И наоборот, бывает, что вы относитесь к предстоящему событию легкомысленно, а получаете совершенно непредвиденные неприятности. В первом случае оценка события зашкаливает в негатив, а во втором — в позитив. То, что получается в финале, — это результат действия равновесных сил. Силы должны уравновесить искусственно созданный вами избыточный потенциал — это они и делают.

Можно предположить: исходя из этого, если я намеренно перед экзаменом буду рисовать самые страшные картины, тогда наверняка получу высшую оценку. Как бы не так. Это искусственное намерение. Такое намерение есть продукт разума, а не души. Вы можете пытаться обмануть себя, однако это будет всего лишь бутафория, не имеющая под собой энергетической основы. Энергетическую основу имеет только *намерение души*. Именно поэтому нельзя получить желаемое простой визуализацией картины. Но об этом мы будем говорить позже.

Никогда, ни при каких обстоятельствах не хвалитесь даже тем, что совершенно справедливо заслужили. А уж тем более тем, чего еще не достигли. Это крайне невыгодно, потому что равновесные силы в этом случае будут действовать всегда против вас.

Будьте как дома, но не забывайте, что вы в гостях. Если вы находитесь в гармоничном равновесии с окружающими маятниками, то есть бьетесь с ними в унисон, тогда ваша жизнь протекает легко и приятно. Вы как бы вошли в резонанс с окружающим миром, получаете энергию и без особого труда достигаете своей цели.

Если вы довели себя до такого состояния, что жить в равновесии с окружающим миром практически невозможно (например, муж избивает), тогда следует подумать о том, чтобы сделать решительный шаг и сменить свое окружение. Может, вам кажется, что уйти некуда? Это внушение маятника, которому выгодно держать вас при себе. Выход всегда есть, и не один. Вспомните про муху на стекле, которая не видит открытую форточку. Следует только избегать необдуманных резких движений. Оптимальный выход найдется сразу, как только вы снизите важность и освободитесь от влияния деструктивного маятника, не дающего жить спокойно. Способы освобождения вам теперь известны — провал или гашение.

На этом я завершаю большую и сложную тему равновесия. Теперь, когда вам понятен механизм действия равновесных сил, вы легко можете определить, где кроется причина тех или иных неудач. Мы пришли к выводу, что во всем необходимо соблюдать принцип баланса. А теперь я должен вас предостеречь от чрезмерного следования ему. Если вы будете на нем зацикливаться, пытаться следовать ему фанатично, то тем самым вы нарушите сам принцип. Если сороконожке во всех деталях растолковать, как нужно ходить, она придет в полное замешательство и не сможет сдвинуться с места. Во всем нужна мера. Позвольте себе иногда немного нарушать равновесие, ничего страшного не произойдет. Главное, чтобы стрелка важности при этом не зашкаливала.

Резюме

Избыточный потенциал создается только в случае, если оценке придается значение.

Только важность конкретно для вас наделяет вашу оценку вашей энергией.

Величина потенциала возрастает,если оценка искажает действительность.

Действие равновесных сил направлено на устранение избыточного потенциала.

Действие равновесных сил часто противоположно намерению, создавшему потенциал.

Сдавая себя в аренду, включайте внутреннего Смотрителя за безупречностью.

Недовольство и осуждение всегда обращает равновесные силы против вас.

Необходимо заменить привычные негативные реакции позитивной трансляцией.

Безусловная любовь — это восхищение без права обладания и поклонения.

Постановка условий и сравнение порождают отношения зависимости.

Отношения зависимости создают избыточные потенциалы.

Идеализация и переоценка всегда заканчивается развенчанием мифов.

Чтобы добиться взаимной любви, необходимо отказаться от права обладания.

За презрение и тщеславие обязательно придется расплачиваться.

Освободите себя от необходимости подтверждать свое превосходство.

Стремление скрыть недостатки дает обратный эффект.

Любая неполноценность компенсируется присущими вам достоинствами.

Чем выше значимость цели, тем меньше вероятность ее достижения.

Желания, свободные от потенциалов значимости и зависимости, исполняются.

Откажитесь от чувства вины и обязанности оправдываться.

Чтобы отказаться от чувства вины, достаточно позволить себе быть собой.

Вас никто не имеет права судить. Вы имеете право быть собой.

Деньги приходят сами, как сопутствующий атрибут на пути к цели.

Встречайте деньги с любовью и вниманием, а расставайтесь беззаботно.

Отказавшись от внешней и внутренней важности, вы получаете свободу выбора.

Единственным препятствием на пути к исполнению желания является важность.

Не преодолевайте препятствия — снижайте важность.

Заботьтесь не беспокоясь.

Глава V

ИНДУЦИРОВАННЫЙ ПЕРЕХОД

Почему каждое старшее поколение считает, что раньше жизнь была лучше? Сколько поколений уже прошло с начала истории человечества! И каждое поколение уверено, что мир стал хуже. Выходит, мир имеет тенденцию деградировать? Но если бы это было так, тогда для человечества хватило бы всего несколько десятков поколений, а потом все должно просто провалиться в ад. Что же происходит?

Не впускайте в себя негативную информацию.

Смещение поколений

Во все времена все люди думали: «Вот раньше было время!» С возрастом жизнь кажется человеку все хуже и хуже. Он вспоминает свои юные годы, когда все краски были сочными, впечатления яркими, мечты выполнимыми, музыка лучше, климат благоприятнее, люди приветливей, даже колбаса вкуснее, не говоря уж о здоровье. Жизнь была наполнена надеждой, доставляла радость и удовольствие. Теперь, по прошествии стольких лет, человек уже не получает таких же радостных переживаний от тех же самых событий. Например, пикник, вечеринка, концерт, кино, праздник, свидание, отдых на море — все вроде имеет такое же качество, если рассудить объективно. Праздник веселый, кино интересное, море теплое. Но все-таки — не то. Краски поблекли, переживания притупились, интерес угас.

Почему же в юности все было так здорово? Неужели восприятие человека с возрастом теряет остроту? Но ведь с возрастом человек не утрачивает способность плакать и смеяться, воспринимать цвета и вкусы, отличать правду от фальши, различать плохое и хорошее. Или мир действительно катится в яму? На самом деле окружающий мир сам по себе не деградирует и не становится хуже. Он становится хуже для каждого индивидуально. Параллельно с негативной линией жизни существуют линии, которые он в свое время оставил и где по-прежнему все хорошо. Выражая недовольство, человек настраивается на действительно худшие пути. А коли так, его реально втягивает на них.

В соответствии с принципом Трансерфинга в пространстве вариантов *есть все и для всех.* Например, есть сектор, где жизнь для данного человека потеряла все свои краски, а для других осталась прежней. Человек, излучая негативную энергию мыслей, попадает в такой сектор, где декорации его пространства изменились. В то же время для остальных людей мир остался прежним. И даже не обязательно рассматривать такие радикальные случаи, когда человек стал инвалидом, потерял дом, близких или спился. Чаще всего в течение жизни он медленно, но верно скользит на линии, где все краски декораций тускнеют. Вот тогда он вспоминает, каким все было живым и свежим много лет назад.

Рождаясь, человек сначала принимает мир таким, каков он есть. Ребенку просто еще неизвестно, может ли быть хуже или лучше. Молодые еще не очень избалованы и привередливы. Они просто открывают для себя этот мир и радуются жизни, поскольку у них больше надежд, чем претензий. Они верят, что все и сейчас неплохо, а будет еще лучше. Но потом приходят неудачи, человек начинает понимать: не все мечты сбываются, другие люди живут лучше, а за место под солнцем надо бороться. Со временем претензий становится больше, чем надежд. Недовольство и нытье есть движущая сила, толкающая человека к неудачным линиям жизни. Выражаясь терминами Трансерфинга, человек излучает негативную энергию, которая переносит его на линии жизни, соответствующие негативным параметрам.

Мир становится тем хуже, чем хуже вы о нем думаете. В детстве никто особо не раздумывал над тем, хорош он или нет, а принимал все как должное. Вы только начинали открывать мир и не очень злоупотребляли критикой. Самые большие обиды были в адрес ваших близких, которые, например, не купили игрушку. Но потом вы начали всерьез обижаться на окружающий мир. Он стал удовлетворять все меньше и меньше. А чем больше вы предъявляли претензий, тем хуже был результат. Все, кто пережил юность и дожил до зрелости, знают, что раньше многое было лучше.

Вот такой вредный парадокс: вы встречаетесь с досадным обстоятельством, выражаете свое недовольство, а в результате ситуация еще больше усугубляется. Ваше недовольство возвращается троекратным бумерангом. Во-первых, избыточный потенциал недовольства обращает против вас равновесные силы. Во-вторых, недовольство служит каналом, по которому маятник выкачивает из вас энергию. В-третьих, излучая негативную энергию, вы переходите на соответствующие линии жизни.

Привычка реагировать негативно настолько укоренилась, что люди потеряли свое преимущество перед низшими живыми существами — сознание. Устрица тоже реагирует негативно на внешний раздражитель. Но человек, в отличие от устрицы, может сознательно и намеренно регулировать свое отношение к внешнему миру. Однако он не пользуется этим преимуществом и отвечает агрессией на малейшее неудобство. Агрессию он ошибочно интерпретирует как свою силу, а на самом деле он просто беспомощно трепыхается в паутине маятников.

Вы считаете, что жизнь стала хуже. Однако тем, кто юн сейчас, жизнь кажется прекрасной. Почему же так получается? Может, потому, что они не знают, как было хорошо тогда, когда вы были в их возрасте? Но ведь тогда жили люди старше вас, которые точно так же жаловались на жизнь и вспоминали, как было хорошо раньше. Причина здесь не только в свойстве психики человека стирать из прошлого плохое и оставлять хорошее. Ведь недовольство направлено на существующее сейчас, потому как оно якобы хуже того, что было раньше.

Получается, если принять тот факт, что жизнь становится с каждым годом все хуже и хуже, значит, мир уже давно должен был просто развалиться на части. Сколько поколений уже прошло с начала истории человечества? И каждое считает, что мир стал хуже! Например, любой пожилой человек с уверенностью скажет, что раньше кока-кола была лучше. Однако кока-колу изобрели в 1886 году. Представляете, насколько она сейчас отвратительна! Может, вкусовое восприятие с возрастом тускнеет? Едва ли. Ведь для пожилого хуже стало и любое другое качество — мебели или одежды, например.

Если бы мир был одним единственным на всех, тогда после смены нескольких десятков поколений он просто превратился бы в ад. Как понимать это парадоксальное утверждение, что *мир не один на всех*? Все мы живем в одном и том же мире материальной реализации вариантов. Но его варианты для каждого человека свои. На поверхности лежат явные различия в судьбах: богатые и бедные, преуспевающие и опустившиеся, счастливые и несчастные. Все они живут в одном мире, но он у каждого свой. Тут, казалось бы, все ясно, как то, что есть бедные и богатые кварталы.

Однако различаются не только сценарии судеб и роли, но и декорации. Вот эта разница прослеживается не так очевидно. Один человек смотрит на мир из окна роскошного автомобиля, а другой из мусорного ящика. Один на празднике весел, а другой озабочен своими проблемами. Один видит веселую компанию молодых людей, а другой развязную банду хулиганов. Все смотрят на одно и то же, но полученные картины отличаются, как цветное кино от черно-белого. *Каждый человек настроен на свой сектор в пространстве вариантов, поэтому каждый живет в своем мире. Все эти миры накладываются друг на друга слоями и образуют то, что мы понимаем под пространством, в котором живем.*

Возможно, вам это трудно представить. Один слой от другого отделить невозможно. Каждый человек своими мыслями формирует свою реальность, и в то же время эта реальность пересекается и взаимодействует с окружающим миром.

Представьте себе Землю, где нет ни единого живого существа. Дуют ветры, идет дождь, извергаются вулканы, текут реки — мир существует. Вот рождается человек и начинает все это наблюдать. Энергия его мыслей порождает материальную реализацию в определенном секторе пространства вариантов — жизнь данного человека в данном мире. Его жизнь представляет собой новый *слой* этого мира. Рождается другой человек — появляется еще один слой. Умирает человек — слой исчезает или, может быть, трансформируется в соответствии с тем, что происходит там, за порогом смерти.

Человечество смутно догадывается, что существуют еще другие живые существа, которые якобы находятся в каких-то параллельных мирозданьях. Но давайте на минуту допустим, что живых существ в мире вообще нет, пока. Тогда какая энергия породила материальную реализацию пространства, где нет ни одного живого существа? Об этом можно только гадать. А может быть, если умрет последнее живое существо, тогда и мир исчезнет? Кто может подтвердить, что мир существует, если в нем никого нет? Ведь если нет никого, кто может сказать, что мир (в нашем понимании) есть, значит, о нем как таковом вообще не может идти речи.

Ну довольно, дальше в дебри лезть не будем и оставим все это. Не забывайте, что Трансерфинг — это всего лишь одна из многих моделей. *Все* представления людей об окружающем мире и жизни в нем не более чем модели. Помните о важности и не создавайте внешнюю важность Трансерфинга. В противном случае можно стать апологетом бесполезной идеи и доказывать всем истинность именно своего мировоззрения. Истина — это абстракция. Нам дано познавать лишь некоторые проявления и закономерности. И наша цель состоит только в том, *как извлечь практическую пользу* из нашей модели.

Вернемся к мирам поколений. Каждый человек в течение жизни перестраивается с одного сектора пространства вариантов на другой и таким образом трансформирует слой своего мира. Поскольку он охотнее выражает недовольство и излучает больше негативной энергии, чем позитивной, возникает тенденция ухудшения качества жизни. Человек может с возрастом нажить материальное благосостояние, но счастливей от этого не становится. Краски декораций тускнеют, и жизнь радует все меньше. Представитель старшего поколения и юноша пьют все ту же кока-колу, купаются все в том же море, катаются на лыжах на склоне все той же горы — все вроде бы то же самое, что было много лет назад. Однако старший уверен, будто раньше все было лучше, а для младшего сейчас все просто замечательно. Когда юноша состарится, история повторится заново.

В этой тенденции наблюдаются отклонения как в худшую, так и в лучшую сторону. Бывает, что человек с возрастом только начинает ощущать вкус к жизни, а бывает, и вполне благополучный скатывается в глубокую яму. Но в общем поколения более или менее единодушны в том, что качество жизни ухудшается. Так происходит смещение пластов поколений. Слой старшего поколения смещается в худшую сторону, а слой молодого запаздывает, но движется туда же. Это смещение происходит ступенчато, каждый раз начинаясь с оптимистической позиции. Именно поэтому мир в целом не превращается в ад. У каждого свой слой, который он сам выбирает. Человек действительно имеет возможность выбирать себе слой, что он и делает. Для вас уже постепенно проясняется картина, каким образом он это делает во вред себе.

О том, как не создавать ад в своем слое, мы уже говорили в предыдущих главах. А как вернуть свой прежний мир, возвратиться на линии, где жизнь так наполнена красками и надеждами, как это было в детстве и юности? И с этой задачей тоже можно справиться с помощью техники Трансерфинга. Но для начала необходимо разобраться, каким образом мы уходим с тех благополучных и полных надежд линий туда, где нас могут спросить: «Ну, и как вы докатились до такой жизни?»

Воронка маятника

Психика человека так устроена, что он сильней реагирует на негативные раздражители. Это может быть нежеланная информация, враждебные действия, опасность или просто негативная энергия. Конечно, позитивные воздействия тоже могут вызвать сильные эмоции. Но страх и ярость намного превосходят по силе радость и веселье. Причина такого неравенства идет из глубины веков, когда страх и ярость являлись решающими факторами выживания. Какой прок от радости? Она не поможет ни защититься, ни избежать опасности, ни добыть пропитание. Да и потом жизнь, наполненная тяготами и лишениями на протяжении всей истории, приносила больше горя и страха, чем радости и веселья. Отсюда склонность людей легче поддаваться унылым мыслям и депрессии, а радость быстро проходит. Разве вы когда-нибудь слышали, чтобы нормальный человек страдал от чрезмерного веселья? А стрессы и депрессии — сплошь и рядом.

Такими особенностями человеческого восприятия активно пользуются маятники и, в частности, средства массовой информации. В информационных программах вы редко услышите хорошие новости. Обычно делается так: берется какой-нибудь негативный факт, раскручивается, всплывают новые подробности, все это смакуется и всячески драматизируется.

По тому же принципу преподносятся и прочие негативные новости: катастрофы, стихийные бедствия, террористические акты, вооруженные конфликты и так далее. Обратите внимание на одну закономерность.

События развиваются как по спирали: сначала идет завязка, затем раскрутка, все больше нагнетается напряженность, затем кульминация, эмоции уже пылают вовсю, и наконец развязка — вся энергия распыляется в пространство, и наступает временное затишье. Вспомните, как волны бьются о берег. По тому же принципу построены бесконечные телевизионные сериалы. С объективной точки зрения ничего такого особенного в них нет, весь «драматизм» буквально высасывается из пальца. Но стоит посмотреть две-три серии — и захватывает. Почему? Ведь в этих мыльных операх не происходит ничего такого уж особо интересного. Потому, что частота мысленного излучения захватывается маятником сериала и внимание человека фиксируется на данном секторе.

Давайте рассмотрим механизм раскрутки вышеупомянутой спирали. Сначала человек сталкивается с фактом, который теоретически может его взволновать, а может — и нет. Допустим, это новость о негативном событии где-то в другой стране. Это первый толчок деструктивного маятника. Если новость трогает человека, он начинает отвечать на воздействие: выражает свое отношение, переживает, а значит, излучает в ответ энергию того же порядка, что и первый толчок, на той же частоте. Данный человек, как и тысячи других, ответил маятнику своей заинтересованностью и участием. Излучение вошло в резонанс с маятником, и энергия его увеличилась. Средства массовой информации продолжают свою кампанию. Человек с заинтересованностью следит за развитием событий, маятник опять получает подпитку. Так маятник завлекает в свои сети приверженцев и выкачивает из них энергию. Заинтересовавшиеся лица впускают в себя негативную энергию и вовлекаются в игру пока что в качестве сторонних наблюдателей.

На первый взгляд, ничего особенного не произошло, обычное дело. Что с того, что человек отдал часть своей энергии на подпитку деструктивного маятника? Это практически не отразилось на его здоровье. Однако на самом деле, излучая энергию на частоте негативного события, человек переходит на линии жизни, где подобные события происходят все ближе к нему самому. Человек принимает участие в завязке и оказывается в зоне действия спирали, которая раскручивается и втягивает его в себя, подобно воронке. Взаимодействие человека и маятника становится все тесней, человек уже принимает упомянутое событие как неизбежную часть своей жизни. Его внимание начинает работать избирательно, везде ему попадаются новые факты в разных странах. Человек обсуждает эти новости со своими знакомыми и близкими, получает от них отклик в виде интереса и сочувствия. Энергия маятника растет, а человек все ближе по частоте своего излучения к линиям события, где он уже не сторонний наблюдатель, а непосредственный участник.

Определим такое явление затягивания в воронку как *индуцированный переход* на линию жизни, где приверженец становится жертвой деструктивного маятника. Его отклик на толчок деструктивного маятника и последующая взаимная подпитка энергией колебаний индуцируют переход на линию жизни, близкую по частоте к колебаниям маятника. В результате негативное событие включается в слой мира данного человека.

Катастрофа

Многие люди, так или иначе, допускают теоретическую возможность попасть в катастрофу. Но не все впускают такую возможность в слой своего мира. Есть люди, которые не смотрят сериалы, не интересуются новостями, их не трогают события, происходящие где-то и с кем-то. Они живут в своих слоях и являются приверженцами других маятников. Их не волнует, что где-то разбился самолет. Они слушают новости о таких событиях, равнодушно пережевывая ужин. Своих забот хватает.

Индуцированному переходу больше подвержены те, кто интересуется, тревожится, волнуется по поводу катастроф, происходящих где-то с другими людьми. Если жизнь человека не очень насыщена заботами и переживаниями, он пытается восполнить этот дефицит, переключая внимание на события в чужих слоях. Такой человек регулярно читает желтую прессу, или смотрит сериалы, или ждет новых сообщений о катастрофах и стихийных бедствиях. Бульварная хроника и сериалы представляют активность мелких и безобидных маятников. Приверженность им всего лишь восполняет дефицит информации, эмоций и переживаний. А вот проявление интереса к деструктивным маятникам катастроф и стихийных бедствий несет в себе реальную угрозу. Они сильны и очень агрессивны.

Частота мысленного излучения человека, обратившего внимание на подобные события, захватывается так же, как в случае с сериалами. Человек, заинтересовавшийся негативной информацией, всегда получит ее в избытке. Сначала он принимает безобидную роль стороннего наблюдателя. Он как бы сидит на трибуне и следит за футбольным матчем. Игра все больше захватывает его, и он становится активным болельщиком. Затем он спускается на поле и начинает бегать, не получая пока мяча. Постепенно и незаметно он все больше втягивается в игру и наконец получает мяч. Наблюдатель превратился в игрока, то есть в жертву катастрофы.

А как же иначе? Ведь катастрофы стали частью жизни человека, он сам впустил их в свой слой, невольно принял судьбу жертвы и материализовал несчастный вариант. Конечно, он не хотел получить роль жертвы, но это не имеет значения. Роли распределяет маятник, если человек принял его игру. Поэтому если для многих других людей данное бедствие есть лишь роковое стечение обстоятельств, то для нашей жертвы это закономерный логический конец. Вероятность для нашего героя оказаться в нужном месте в нужное время уже выше средней.

Если вы будете игнорировать толчки деструктивных маятников, то в катастрофу никогда не попадете. Скажем так, вероятность этого будет близка к нулю. Вы можете возразить: а как же люди гибнут тысячами во время катастроф или стихийных бедствий, они что, все вместе одновременно думают о катастрофах? Дело в том, что вы живете не одни в этом мире. Вас окружает масса людей, активно работающих на деструктивные маятники и излучающих энергию в спектре этих маятников. Никто не может идеально изолироваться от этого излучения. Поле излучения захватывает вас, и вы, сами того не осознавая, начинаете излучать на тех же частотах. Корни такого поведения идут из глубины веков, когда стадный инстинкт помогал избегать опасностей. Именно поэтому энергетическое поле индуцированного перехода нарастает лавинообразно и затягивает, подобно воронке.

Задача состоит в том, чтобы находиться как можно дальше от центра воронки. Это означает не впускать в себя информацию о катастрофах и бедствиях, не интересоваться этим, не переживать, не обсуждать, в общем, пропускать мимо ушей. Обратите внимание: не уходить от информации, а не пускать ее в себя. Как известно из предыдущих глав, избегать встречи с маятником — то же самое, что искать встречи с ним. Когда вы противитесь чему-либо, не желаете этого или выражаете неприязнь, вы тем самым активно излучаете энергию на частоте того, чего хотите избежать. Не пускать в себя означает игнорировать, не реагировать на негативную информацию, а внимание свое переключить на безобидные телепрограммы и книги.

Если не реагировать не получается, тогда остается только надеяться на Ангела-хранителя. Например, если вы боитесь летать на самолетах, не летайте. Если есть страх, значит, в спектре вашего излучения есть частота, которая резонирует с линией жизни, на которой отмечена катастрофа в воздухе. Это вовсе не значит, что вы непременно попадете на эту линию, но тем не менее вероятность есть. Если вы просто не думаете об опасности в самолете, нечего и бояться. Напротив, если вы испытываете *несвойственное* беспокойство перед полетом, разумно будет пропустить этот рейс. Если не летать вообще невозможно, тогда нужно научиться слышать *шелест утренних звезд*. Что это такое и как это делается, вы еще узнаете.

Война

Война возникает, по сути, примерно так же, как и элементарная драка. Сначала одна сторона высказывает свое мнение другой. У той мнение противоположное, поэтому высказывание работает как толчок деструктивного маятника. Вторая сторона отвечает на первый толчок с несколько большим размахом. В ответ на это первая в свою очередь опять отвечает с еще большей агрессией. И так по нарастающей, пока дело не дойдет до рукоприкладства.

Налицо простая и наглядная картина битвы двух маятников, которые, ударяясь друг о друга, раскачиваются все сильней. При назревании войны или революции действует много факторов, но суть та же. Сначала людям говорят, что живут они плохо. С этим все быстро соглашаются — первая подача маятника принята. Потом находится объяснение, что нашим людям жить лучше мешают чужие люди. Это вызывает негодование — маятник раскачивается. Затем следует провокация с той или другой стороны, что вызывает бурю возмущения, — маятник набрал силу, и войну или революцию можно начинать. Каждый удар маятника порождает отклик, еще больше усиливающий колебания. Происходит лавинообразный переход на линии жизни, где напряженность нарастает.

Ситуацию можно изменить только в самом начале, потом она уже уходит из-под контроля. В момент начала закручивания спирали, если на первый выпад маятника ответить миролюбиво или просто отойти в сторону, маятник будет провален или погашен, следовательно, перехода на новый виток, то есть на другую линию, не будет. Если же принимать колебания маятника, то частота излучения участника будет подходить по параметрам к линии нового витка спирали.

К сожалению, если отдельный участник событий не реагирует на маятник, это еще не дает гарантий, что он не будет втянут в войну или революцию. Если попал в мощный водоворот, то, как ни старайся, выбраться почти невозможно. Однако в случае неприятия игры маятника участник, по крайней мере, получает дополнительные шансы остаться в живых и выйти с наименьшими потерями. Здесь только следует хорошо представлять, что означает неприятие войны или революции. Вы можете ненавидеть ее или активно бороться. Но маятнику безразлично, против вы или за. Ему подходит энергия любого знака. Если энергия излучается на частоте войны, происходит переход на эту линию. Вы принимаете войну, участвуете в ней — вы на поле боя. Боретесь против войны — она все равно вас проглатывает.

Не принимать маятник означает его игнорировать. Конечно, игнорировать не всегда получается — в том и состоит опасность индуцированного перехода. По крайней мере, не следует принимать позицию ни сторонников, ни противников войны. Во все времена существовали нейтральные государства, которые, оставаясь в стороне, наблюдали, как целые народы уничтожают друг друга. Обратите внимание на демонстрации и митинги, где люди яростно протестуют против военных действий. Для маятника, пытающегося развязать битву со своим противником, они являются такими же преданными и желанными приверженцами, как и сторонники битвы. Активный протест есть самое натуральное пособничество войне, хотя наивные приверженцы убеждены в обратном. Миролюбивые предложения и раскрытие подлинного лица и мотивов маятника — вот действия, которые гасят войну. Помните аллегорию с гнездом диких пчел? Маятник объявляет своим приверженцам, что пчелы опасны, поэтому их надо уничтожить. Но что на самом деле нужно маятнику? Может, их мед?

Безработица

Как уже говорилось, участвовать в игре деструктивного маятника можно по-разному, как поддерживая его, так и отвергая. Второе, пожалуй, еще опасней, так как желание избежать столкновения с маятником создает избыточный потенциал, затягивающий в воронку перехода. Потерять работу сейчас боятся все или почти все. Индуцированный переход на улицу очень коварен. Начинается все с малого и вполне безобидно. Это может быть слабый первый сигнал: вы краем уха услышали о том, что дела на вашем предприятии идут уже не так хорошо, как раньше. Или кто-то из ваших знакомых потерял работу, или ходят слухи, что где-то намечается сокращение штатов, или подобное в этом роде.

На подсознательном уровне, незаметно для вас, загорелась красная лампочка. За этим следует другой сигнал, например инфляция пошла в гору. Это вас уже настораживает, окружающих, кстати, тоже. Начинаются разговоры, а маятник безработицы получает энергетическую подпитку. Вот уже появляются новости о колебаниях на бирже, общая напряженность нарастает. Беспокойство быстро сменяется тревогой, а затем переходит в страх. Вы уже вовсю генерируете энергию на частоте линии жизни, где видите себя без работы.

Когда вы носите в себе страх оказаться в числе уволенных, можете считать, что это видно так же ясно, как если бы повесили себе на грудь табличку «Меня можно уволить». Если вы думаете, что можете скрыть этот страх, то сильно ошибаетесь. Мимолетные жесты, оттенки интонации в голосе иногда говорят больше, чем слова. Потеряв уверенность в себе, вы уже не такой эффективный работник, как прежде. То, что раньше давалось легко, теперь не клеится. В общении с сотрудниками возникает напряженность, они и сами в таком же положении. Нервозность вы переносите в семью, а там вместо поддержки вас еще и обвиняют. Все, развивается стресс, и вы уже не работник — на груди висит табличка «Готов к увольнению».

Причина страха быть уволенным кроется в чувстве вины, которое тлеет или горит ярким огнем в вашем подсознании. Кого увольняют в первую очередь? Самых худших. Если вы позволили себе считать, что можете быть хуже других, значит, это сами занесли себя в черный список. Откажитесь от чувства вины. Позвольте себе роскошь быть собой. А если не получается, начните процесс поиска другой работы. Избыточный потенциал переживаний рассеивается действием. Некоторые люди начинают поиск новой работы сразу, как только получили место. Они это делают не потому, что намерены менять новую работу сразу. Страховка вселяет уверенность: в случае чего есть запасной вариант. Если вы спокойны за свое будущее, действие равновесных сил вас не коснется.

Эпидемия

Вы, наверно, думаете, что тут уж — нет, не может быть и речи о каких-то там линиях жизни, человек заболевает, так как его просто заразили. И будете правы, но лишь в том, что человек позволил себя заразить. Я вовсе не хочу сказать, что больному следовало ходить с марлевой повязкой — это бы его не спасло. Не верите? Что ж, чисто умозрительно я не смогу это доказать, как, впрочем, и все, о чем идет речь в этой книге. Но ведь вы тоже не будете ходить в марлевой повязке во время эпидемии гриппа, чтобы проверить? Поэтому я буду просто говорить то, что знаю, а верить или не верить — дело ваше.

Итак, раскрываем историю болезни. Причина заболевания — ваше добровольное согласие на участие в игре под названием «Эпидемия». Начинается все со слухов, что эпидемия, скажем, гриппа уже где-то буйствует. Всем нормальным людям известно, что грипп легко передается воздушно-капельным путем, следовательно, вы, как всякий нормальный человек, вполне допускаете мысль о том, что это с каждым тоже может случиться. В голове сразу же прокручивается кино: у вас температура, вы чихаете и кашляете. Все, с этого момента вы уже в игре, потому что излучаете энергию мыслей на частоте деструктивного маятника.

Вы подсознательно уже ищете подтверждения того, что эпидемия наступает, и внимание начинает работать избирательно. Кругом попадаются чихающие люди. Они и так всегда есть, просто раньше вы не обращали на них внимания. На работе и дома время от времени кто-нибудь заводит речь на эту тему. Ваше предположение о том, что эпидемия наступает, находит новые подтверждения. Даже если вы специально не ищете подтверждения и тема вас не особенно волнует. Оно происходит как-то само собой.

Если вы с самого начала игры настроились на частоту деструктивного маятника, ваша привязка к нему будет все сильней, независимо от сознательного участия. Ну, а если вы не прочь поболеть или настроены обреченно, значит, вы уже являетесь наиболее активным приверженцем маятника. Или нет, решили не болеть и внушаете себе, что абсолютно здоровы и не заболеете. Ничего не выйдет. Вы думаете о болезни, значит, излучаете на частоте болезни. Направление мыслей за или против не имеет значения. Другими словами, если вы пытаетесь себя убедить, что не заболеете, то изначально допускаете такую возможность, и никакие уговоры не помогут.

Слова, произнесенные вслух, — просто сотрясение воздуха, слова про себя — вообще ничто, а вера — это мощная энергия, хоть ее и не слышно. Вы не спасетесь, даже если побежите делать прививку. Все равно свое отболеете в той или иной форме. Первый симптом болезни ставит вас перед выбором: будете ли в конце концов болеть или нет? Вы слабо сопротивляетесь и смиряетесь с болезнью. Это вносит окончательную коррекцию в ваше излучение, и вы переходите на линию жизни, где болезнь идет по полной программе.

Индуцированный переход начался с момента принятия маятника. Если вам действительно наплевать на эту эпидемию, перехода не будет. Или если вы в отпуске, ни с кем не общаетесь, новости не слушаете и об эпидемии ничего не знаете, маятник вас не тронет. Он просто провалится, как в пустоту.

Вы не задумывались, почему врачи не заражаются от больных? Многие даже смело работают без повязок. Это не потому, что они делают себе прививки. От всех болезней не привьешься. Дело в том, что врачи тоже активно играют в игру маятника болезни, но вот роль им отводится совсем другая. По аналогии понаблюдайте при случае за стюардессами в авиалайнере. Эти добрые феи всем настоятельно рекомендуют пристегнуть ремни, а сами порхают, как будто сами они в случае чего смогут, как колибри, зависнуть в воздухе.

«Ну, а как насчет грудных детей, зараженных СПИДом? — спросит дотошный Читатель. — Они что, тоже излучают энергию перехода?» Во-первых, здесь мы рассматриваем вопрос об эпидемии как тенденции. Во-вторых, я и не пытаюсь доказать, что, дескать, никакого заражения нет, а есть только излучение мысленной энергии на частоте болезни. Трансерфинг — это не догма и не конечная инстанция истины. Не следует возводить в абсолют ни одну идею. Можно лишь принимать к сведению закономерности. А истина — она всегда «где-то рядом», но где точно — неизвестно.

Паника

Это наиболее интенсивный и быстрый индуцированный переход. Паника наиболее контрастно подчеркивает все его особенности. Во-первых, закручивание спирали происходит очень цепко, потому что сигнал о реальной опасности всегда звучит весьма убедительно и человек сразу включается в игру деструктивного маятника. По той же причине нарастание колебаний маятника происходит очень быстро, практически лавинообразно.

Во-вторых, человек почти полностью теряет контроль над собой, а значит, превращается в чувствительный приемник и одновременно активный ретранслятор колебаний маятника. Ну и, наконец, сам маятник находит себе идеальную материализацию в виде толпы. К сожалению, все эти факторы делают задачу его провала или гашения очень сложной. Человеку в такой момент даже в голову не придет размышлять о приемах борьбы с ними.

Однако если овладеть собой и не поддаться панике, то можно с большой долей вероятности спасти жизнь себе и близким. Например, на тонущем корабле всегда образуется свалка возле нескольких спасательных шлюпок, в то время как рядом другие шлюпки стоят пустые. А ведь требуется только лишь мгновение, чтобы оглядеться по сторонам. Но в том то и состоит коварное свойство индуцированного перехода, что он работает как воронка, всасывающая в себя все, что хоть краем задето им.

Нищета

Если здраво рассуждать, как может разбогатеть простой человек, родившийся в трущобах? Криминальный путь рассматривать не будем, красивые истории о миллионерах тоже. Так вот, рассуждения, основанные на здравом смысле, ни к чему не приведут. Тогда какая вам польза от привычной логики? Трансерфинг не укладывается в рамки здравого смысла, зато он позволяет сделать то, что кажется невозможным.

Действуя логически, люди получают соответствующий результат. Если человек родился в бедности, он находится в окружении нищеты, привык к этому и настроен на излучение энергии на частоте линии своей нищенской жизни. Перестроиться на линию своего достатка очень трудно, если иметь только ненависть к своей бедности, зависть к богатым и желание самому стать обеспеченным. Или нет, я бы сказал, что, имея в наличии только эти три вещи, перейти на линию своего богатства практически невозможно. Давайте разберемся, почему.

Наверно, одним из первых открытий всех детей, вступающих в жизнь, является такой факт: если ты чего-то не хочешь, это еще не значит, что ты будешь от этого избавлен. Иногда из души просто вырывается крик отчаяния: «Но я же так этого не хочу! Я это просто ненавижу! Ну почему оно не оставит меня в покое? Ну почему такое происходит всегда со мной?»

Подобный вопрос в порыве негодования задают себе не только дети, но и взрослые. В самом деле трудно смириться с таким положением, что если чего-то не хочешь, оно все равно случается, а если ненавидишь, то просто неотступно преследует. Можно ненавидеть свою бедность, свою работу, свои физические недостатки, соседей, бродяг на улице, алкоголиков, наркоманов, собак, воров, бандитов, наглую молодежь, правительство... Чем сильнее вы это ненавидите, тем больше этого встречается в жизни. И вы уже знаете, почему. Это задевает, вы думаете об этом, а значит, излучаете на частоте линий жизни, где предмет вашего недовольства присутствует в избытке. Это не важно, какая полярность у этого излучения: «нравится» или «не нравится». Второе даже эффективнее, потому что эмоции сильнее. С другой стороны, то, что вам неприятно, является для вас деструктивным маятником, а поэтому вы еще больше раскачиваете его своими переживаями. Ну и, наконец, если вы активно ненавидите, значит, создаете избыточный потенциал. Равновесные силы будут направлены против вас, потому что им проще устранить одного противника, чем изменить мир, который кого-то не устраивает. Представляете, сколько вредных факторов заложено в негативном отношении к жизни!

Вернемся к человеку, рожденному в нищете. У него есть мечта стать богатым. Но одно желание, как известно, ничего не меняет. Можно развалиться на диване и лениво тянуть: «Неплохо бы сюда тарелочку клубники. Да где ее взять, ведь это невозможно, сейчас зима». Примерно так мечтает стать богатым бедный человек.

Если человек не готов действовать, чтобы получить желаемое, он это и не получит. А не действует он из-за убеждения, что все равно ничего не выйдет. Вот такой замкнутый круг. Желание не имеет никакой силы. Оно не может даже пальцем пошевелить. Это делает намерение, то есть решимость действовать. Намерение включает в себя также готовность иметь. Человек может сказать: «Ну, уж это у меня не отнимешь! Это же так просто, ведь я хочу быть богатым!»

Нет. Опять между «хотеть» и «быть готовым стать» лежит глубокая пропасть. Например, бедный человек чувствует себя «не в своей тарелке» в богатой обстановке или в дорогом магазине, даже если изо всех сил старается убедить себя и других в обратном. В глубине души он считает, что не достоин всего этого. Богатство не входит в зону комфорта бедняка, и не потому, что быть богатым некомфортно, а потому, что он далек от всего этого. Новое кресло удобней, зато старое комфортней.

Бедным знакома только внешняя сторона богатства: роскошные дома, дорогие автомобили, украшения, клубы... Если бедного человека поместить в такую обстановку, он будет чувствовать дискомфорт. А дай ему чемодан с деньгами, так он начнет вытворять всякие глупости и в конце концов все потеряет. Частота энергии, которую он транслирует, находится в резком диссонансе с такой жизнью. И пока нищий не впустит атрибуты богатства в зону своего комфорта, пока не научится чувствовать себя хозяином дорогих вещей, он останется бедным, даже если найдет клад.

Еще одной преградой на пути к богатству является зависть. Как известно, завидовать — значит досадовать на чужую удачу. В этом смысле ничего конструктивного это чувство в себе не несет. Зато в зависти есть один очень сильный деструктивный элемент. Психология человека устроена таким образом: если он завидует тому, что хотел бы сам иметь, то старается всячески это обесценить. Вот логика «черной зависти»: «Я завидую тому, что он имеет. У меня этого нет и вряд ли появится. Но чем я хуже него? Значит, та вещь, которой он обладает, — плохая, и мне ни к чему».

Так желание иметь переходит в психологическую защиту, а затем перерастает в отторжение. Отторжение идет на тонком уровне, потому что подсознание все понимает буквально. Сознание обесценивает предмет зависти только для виду, для самоуспокоения, а подсознание все воспринимает всерьез. И здесь оно оказывает медвежью услугу, делая все, чтобы не получить обесцененное и отвергнутое.

Таким образом, вы видите, какие цепкие силы держат человека на бедной линии жизни. Еще более драматично развиваются события при индуцированном переходе с обеспеченной на бедную линию жизни. Бывает, что вполне благополучный человек теряет все и оказывается на улице. Все коварство индуцированного перехода к нищете проявляется в том, что его спираль раскручивается сначала медленно, незаметно, а затем все стремительней, так что ее уже нельзя остановить.

Эта спираль начинается с временных финансовых трудностей. Заметьте, временные финансовые трудности могут быть всегда и у всех. Это такая же обычная неизбежность, как, скажем, дождь в день, когда вы собрались на пикник. Если по этому поводу не впадать в ярость, депрессию, беспокойство или обиду на жизнь, то колебания деструктивного маятника, не получив подпитки, погаснут. Индуцированный переход начинается в том случае, если вы ухватились за кончик спирали. Чтобы спираль закрутилась, необходим ваш отклик на деструктивный маятник.

Первая ваша реакция — недовольство. Для маятника это пока слишком слабая поддержка, и, если на этом ваши эмоции иссякнут, он угаснет. Другая реакция — негодование, а это уже сильнее, и маятник воспрял духом, он посылает вам информацию о том, что в ваших финансовых трудностях кто-то виноват. На этот второй толчок вы отвечаете негативными отзывами или действиями в адрес виновников. В этот момент деструктивный маятник уже совсем оживился и начинается новый виток спирали: вы получаете очередную зарплату еще меньше, или цены подскочили, или с вас требуют выплаты долга.

Обратите внимание, на данном этапе вы еще не осознаете, что идет какой-то процесс. Просто может показаться, что произошли досадные неприятности. На самом же деле это направленный процесс, который индуцируете вы сами, отвечая на колебания маятника. Частота вашего энергетического излучения все больше перестраивается с линий, где вы преуспевающий, на линии, где вы обделенный и негодующий. Поэтому и переноситесь на линии, соответствующие этим новым параметрам.

И вот ваше положение все больше усугубляется. Отовсюду начинают поступать плохие новости: цены растут, дела на родном предприятии идут неважно. Вы начинаете активно обсуждать эти негативные новости со знакомыми и близкими. Обсуждение, как правило, ведется в деструктивном ключе, то есть жалобы, недовольство и агрессия в адрес предполагаемых виновников. Особенно ярко это проявляется на предприятиях, где дела совсем плохи. Там день начинается с постулата о том, что «денег нет», как с утренней молитвы.

На этом этапе вы уже полностью захвачены спиралью, ваше излучение настроено на частоту деструктивного маятника. Поскольку дела идут все хуже, вас охватывает беспокойство. Энергия беспокойства, несмотря на ее небольшую величину, очень хорошо усваивается маятником, он все больше наглеет. В таком состоянии вы неизбежно будете создавать вокруг себя избыточные потенциалы: недовольство, агрессия, депрессия, апатия, обида и так далее. Теперь, когда к деструктивному маятнику подключились равновесные силы, ситуация выходит из-под контроля и начинает развиваться лавинообразно. Вы чувствуете страх и пускаетесь во все тяжкие.

Вас как будто взяли за руки и закружили, закружили, а потом резко бросили. Вы отлетели в сторону, упали и остались лежать в шоковом состоянии. Страшная картина. А началось-то все это с небольших финансовых трудностей. Маятнику не нужны ваши деньги, его интересует негативная энергия, которую вы излучаете, когда они от вас уплывают. В итоге, когда спираль развернулась, несчастный в лучшем случае потерял очень много, а в худшем — все. Для деструктивного маятника он больше не представляет интереса — с него больше нечего взять. Дальше события могут развиваться по-разному: несчастный либо останется лежать на неудачной линии жизни, либо начнет с трудом выкарабкиваться. Такой индуцированный переход может происходить как с отдельным человеком, так и с большой группой людей. Во втором случае, как вы понимаете, это не просто спираль, а настоящий водоворот, из которого выбраться очень сложно.

Единственное средство от индуцированного перехода — не хвататься за кончик спирали, не включаться в игру деструктивного маятника. Недостаточно просто знать, как работает этот механизм. О нем нужно всегда *помнить*. Ваш Смотритель не должен спать. Одергивайте себя всякий раз, когда по привычке, как во сне, принимаете игру маятника, то есть выказываете недовольство, негодование, проявляете беспокойство, участвуете в деструктивных обсуждениях и так далее. Помните: все, что вызывает у вас негативную реакцию, является следствием провокационных действий деструктивных маятников. Во сне происходит точно так же: пока не осознаете, что это сон, вы марионетка в чужой игре и вас могут преследовать кошмары. Как только очнулись, отряхнулись от наваждения, осознали, какая идет игра, — все, вы хозяин положения и не станете жертвой обстоятельств, в то время как все вокруг пребывают в зомбированном состоянии.

Резюме

Каждый человек создает отдельный слой мира, в котором и живет.

Мир людей в целом состоит из отдельных слоев, наложенных друг на друга.

Излучая негативную энергию, человек сам ухудшает слой своего мира.

Агрессия ошибочно принимается за силу, а недовольство за нормальную реакцию.

Отклик на негативное событие индуцирует переход на негативные линии жизни.

Индуцированный переход включает негативное событие в слой отдельного человека.

Не пускайте в слой своего мира любую негативную информацию.

Не пускать — означает не избегать, а намеренно игнорировать, не интересоваться.

Глава VI

ТЕЧЕНИЕ ВАРИАНТОВ

Откуда берутся предчувствия, интуиция, предсказания, открытия, а также шедевры искусства? Действительно ли изобретает и творит именно разум человека? Течение вариантов — это роскошный подарок для разума, но человек и не подозревает об этом. А что такое «приметы» и почему они работают?

Когда вы двигаетесь по течению, мир идет к вам навстречу.

Поле информации

Пространство вариантов представляет собой поле информации, или энергетическую матрицу, — *шаблон того, что и как должно быть*. Когда энергия, настроенная на определенный сектор матрицы, «подсвечивает» его, тогда шаблон реализуется в виде материальной формы. Возникает вопрос: а можно ли использовать эту информацию, пока она лежит в нереализованном виде?

Можно сказать, мы все этим занимаемся каждый день. Сознание не умеет читать информацию из пространства вариантов. Зато подсознание выходит на информационное поле напрямую. Именно оттуда берутся предчувствия, интуиция, предсказания, открытия, а также шедевры искусства.

Информация поступает в сознание либо из внешнего мира как интерпретация внешних данных, либо из подсознания, на интуитивном уровне. Данные, записанные в поле, — это, грубо говоря, истина в чистом виде. Другими словами, объективная и лишенная интерпретаций информация. Когда истина проходит через фильтр разума, она превращается в интерпретацию, то есть в знание. Все живые существа воспринимают истину в своей интерпретации. Курица видит и понимает мир совсем не так, как человек. Даже разные люди могут видеть и понимать одни и те же вещи по-разному. Поэтому знание является более или менее искаженной формой истины.

Данные в информационном поле представлены в виде сложной энергетической структуры. Там записано все то, что заставляет материю двигаться по определенным законам. Сначала данные из информационного поля принимаются подсознанием (душой), затем сознание (разум) транслирует их в словесное или символьное описание. Так рождается открытие или создается новое — музыка, произведения искусства, то есть то, чего человек не мог увидеть или узнать напрямую. Таким же образом появляются интуитивные знания и предчувствия.

Возможно, вас все это шокирует и внушает недоверие. Что же получается, разум не может сам создать ничего нового, а просто получает данные из поля информации? Не совсем так. Разум может сконструировать новый объект или решить задачу, оперируя знакомыми объектами и логическими построениями. Другими словами, разум может сложить новый дом из старых кубиков. Но получить принципиально новое, то есть то, что нельзя сконструировать из старого, он не может.

Принципиальные открытия в науке приходят не в результате логических рассуждений, а как озарение, как сведения ниоткуда. То же касается гениальных изобретений. Хорошая музыка сочиняется не подбором нот, а приходит как бы сама. Шедевры искусства создаются не в результате профессионального технического исполнения, а рождаются вдохновением. Идеально технически нарисованная картина не обязательно должна стать шедевром. Шедевром делает ее то, что лежит за рамками технического исполнения. Поэзия, которая берет за душу, не создается в результате разумного подбора правильных рифм, а идет оттуда же — из глубины души.

Все творчество, основанное на вдохновении и озарении, не имеет ничего общего с разумом. Разум только потом делает продукты такого творчества своими атрибутами. Например, разум может идеально скопировать старый шедевр. Но создать новый он не способен. Разум анализирует данные, полученные подсознанием из поля информации, и облекает их в символьную интерпретацию — в виде картины, мелодии, стихотворения, формулы, схемы и так далее.

Нам пока не дано знать, каким образом подсознание получает доступ к полю информации. Мы можем лишь быть свидетелями, как проявляется такой доступ. Пример тому — ясновидение, то есть способность воспринимать события, либо имевшие место в прошлом, либо еще не случившиеся, либо происходящие за пределами поля зрения ясновидящего. Мы не понимаем механизм таких явлений и объявляем их паранормальными. Маятники фундаментальной науки, не желая расписаться в своем бессилии, не воспринимают подобные явления всерьез. Однако оттого, что мы их не можем объяснить, они не перестают быть фактами, и так просто отмахнуться от них нельзя.

Есть люди, которые видят события в поле информации так же ясно, как будто они происходят на их глазах в мире материальной реализации. Такие люди имеют способность точно настраиваться на реализованные секторы в пространстве вариантов. Например, чтобы настроиться на сектор пропавшего человека, ясновидец должен посмотреть на его фотографию или потрогать вещи. Услугами таких ясновидцев даже иногда пользуется полиция.

Далеко не все видят так ясно, поэтому случаются ошибки. Есть две причины ошибок. Первая причина связана с тем, что ясновидец настраивается на сектор, который не был и не будет реализован. Разные секторы могут в зависимости от их относительной удаленности отличаться сильно или слабо в сценариях и декорациях. Вторая причина заключается в интерпретации данных. Например, древние предсказатели и пророки, наблюдая непривычные сцены из будущего, интерпретировали их по-своему, в соответствии со своим уровнем знаний. Поэтому предсказания часто бывают неточными.

Верить во все это или нет — дело вашего выбора. Не забывайте, что Трансерфинг является лишь моделью, позволяющей использовать законы мира в своих интересах, а не описанием строения этого мира. Трансерфинг также не является гранитным монументом с надписью «Именно здесь зарыта собака». Истина, как вам известно, всегда где-то рядом. Утверждение, что человек способен синтезировать все новое с помощью своего разума, тоже является всего лишь установкой. Просто мы давно привыкли к такой модели, и она для нас удобна. Надо отметить, что эта привычная схема жизни так же недоказуема, как и модель Трансерфинга. Так это происходит или иначе — для нас, в принципе, не очень важно. Факт состоит в том, что данные из пространства вариантов каким-то образом доходят до нас в виде различных намеков, видений, озарений, знаков, и мы должны по возможности понять их значение.

Знания ниоткуда

Ясно читать данные из поля информации могут только очень немногие уникальные личности. Большинство людей получают лишь отголоски этих данных в форме мимолетных предчувствий и неясных знаний. Люди, занимающиеся наукой и творчеством, получают озарения после долгих дней или лет раздумий. Новое открыть трудно потому, что частота мысленного излучения, сколько ни думай, легче всего настраивается на уже реализованные секторы пространства вариантов. Принципиально новое лежит всегда в нереализованных секторах. Но как на них настраиваться? Пока нам не дано это знать.

Когда поиск нового решения в реализованных секторах не дает результата, подсознание каким-то случайным образом выходит на нереализованный сектор. Такие данные не облечены в форму привычных символьных интерпретаций, поэтому сознание воспринимает их как смутную и неясную информацию. Если мозгу удается ухватить суть этой информации, возникает озарение и ясное понимание.

В механизмах работы сознания и подсознания много неясностей и противоречий. Мы не будем поднимать все эти проблемы, а рассмотрим только отдельные аспекты. Чтобы не путаться в терминологии и семантике, обозначим для простоты все, что связано с сознанием, как разум, а с подсознанием — как душу.

Если бы разум понимал все, что ему хочет поведать душа, человечество получило бы прямой доступ к полю информации. Трудно представить, каких высот достигла бы наша цивилизация в таком случае. Но разум не только не умеет слушать, но и не хочет. Внимание человека постоянно занято либо объектами внешнего мира, либо внутренними размышлениями и переживаниями. Внутренний монолог почти никогда не прекращается и находится под контролем разума. А тот не слушает слабые сигналы души и авторитарно твердит свое. Когда разум «думает», он оперирует категориями, которыми обозначил свойства видимых объектов в реализованных секторах. Другими словами, он мыслит с помощью устоявшихся *обозначений*: символов, слов, понятий, схем, правил и так далее. Любую информацию он пытается разложить по полочкам подходящих обозначений.

Обозначения даны всему, что есть в окружающем мире: небо голубое, вода мокрая, птицы летают, тигры опасны, зимой холодно и так далее. Если информация, полученная из нереализованного сектора, еще не имеет разумных обозначений, разум воспринимает ее как некое непонятное знание. Если удается ввести новые обозначения для этого знания или объяснить его в рамках старых обозначений, рождается открытие.

Принципиально новому знанию всегда очень трудно подобрать обозначение. Представьте себе человека, впервые услышавшего музыку. Музыка — это тоже информация в форме звуков. Когда разум получает эту информацию, он знает, но не понимает. У него пока нет обозначения. Понимание появляется потом, когда человек слышит музыку многократно и ему демонстрируют все обозначения и объекты: музыканты, инструменты, ноты, песни. Но когда разум услышал музыку впервые, для него это было совершенно реальным знанием и в то же время непостижимой тайной.

Попробуйте объяснить маленькому ребенку такое определение: «молоко белое». Ребенок еще только начинает использовать абстрактные категории, поэтому он задаст кучу вопросов. Ну, что такое молоко, ему понятно. А что значит белое? Это цвет. А что такое цвет? Это такое свойство предметов. А что такое свойство? А предмет? И так до бесконечности. Легче не объяснять, а показать предметы разных цветов. Тогда разум ребенка обозначит то, чем различаются предметы, в виде абстрактной категории цвета. Вот так он дает определения и обозначения всему, что его окружает, а потом мыслит, используя эти определения. Душа, в отличие от разума, не пользуется обозначениями. Как она может объяснить ему, что «молоко белое»?

С тех пор как разум начал мыслить с помощью абстрактных категорий, связь между ним и душой постепенно атрофировалась. Душа не использует эти категории. Она не думает и не говорит, а чувствует или знает. Она не может выразить словами и символами то, что знает. Поэтому разум не может договориться с душой. Допустим, душа настроилась на нереализованный сектор и узнала то, чего еще нет в материальном мире. Как она может донести эту информацию до разума?

К тому же разум постоянно занят своей болтовней. Он считает, что все можно разумно объяснить, и постоянно контролирует над всей информацией. От души поступают лишь смутные сигналы, которые разум не всегда может определить с помощью своих категорий. Неясные чувства и знания души тонут в громогласных мыслях. Когда контроль разума дает слабину, к сознанию прорываются интуитивные чувства и знания.

Это проявляется как смутное предчувствие, которое еще называют внутренним голосом. Разум отвлекся, и в этот момент вы ощутили чувства или знания души. Это и есть *шелест утренних звезд* — голос без слов, раздумья без мыслей, звук без громкости. Вы что-то понимаете, но смутно. Не мыслите, а чувствуете интуитивно. Каждый когда-нибудь испытывал на себе, что такое интуиция. Например, вы чувствуете, что кто-то сейчас должен прийти, или что-то должно случиться, или *о чем-то просто знаете без объяснений*.

Разум постоянно занят генерацией мыслей. Голос души буквально заглушается этой «мыслемешалкой», поэтому интуитивные знания труднодоступны. Если остановить бег мыслей и просто созерцать пустоту, можно услышать шелест утренних звезд — внутренний голос без слов. Душа может найти ответы на многие вопросы, если прислушаться к ее голосу.

Научить душу целенаправленно настраиваться на нереализованные секторы, а разум заставить слушать то, что хочет поведать душа, достаточно трудно. Давайте начнем с малого. У души есть два достаточно ясных чувства: душевный комфорт и дискомфорт. Разум имеет обозначения для этих чувств: «мне хорошо» и «мне плохо», «я уверен» и «я беспокоюсь», «мне нравится» и «мне не нравится».

В жизни на каждом шагу приходится принимать решения — делать то или другое. Материальная реализация перемещается в пространстве вариантов, в результате чего получается то, что мы называем своей жизнью. В зависимости от наших мыслей и действий реализуются те или иные секторы. Душа имеет доступ к полю информации. Каким-то образом она видит то, что лежит впереди, в еще не реализованных, но надвигающихся секторах. Если она настроилась на пока нереализованный сектор, она знает, что ее там ждет: приятное или неприятное. Эти чувства души разум воспринимает как смутные ощущения душевного комфорта или дискомфорта.

Душа очень часто знает, что ее ждет. И она слабым голосом пытается заявить об этом разуму. Однако он ее почти не слышит или не придает значения смутным предчувствиям. Разум захвачен маятниками, слишком озабочен решением проблем и убежден в разумности своих действий. Он принимает волевые решения, руководствуясь логическими пассажами и здравым смыслом. Однако хорошо известно, что разумные рассуждения вовсе не гарантируют верное решение. Душа, в отличие от разума, не думает — она чувствует и знает, поэтому не ошибается. Как часто люди поздно спохватываются: «Ведь я знала (знал), что ничего хорошего из этого не выйдет!»

Задача состоит в том, чтобы научиться определять, что говорит душа разуму в момент принятия решения. Сделать это не так уж сложно. Необходимо всего лишь наказать своему Смотрителю, чтобы он обращал внимание на состояние комфорта души. Вот вы принимаете какое-то решение. Ваш разум всецело захвачен маятником или поглощен решением задачи. Для того чтобы услышать шелест утренних звезд, достаточно просто вовремя *вспомнить*, что вам надо обратить внимание на ваше душевное состояние. Это настолько тривиально, что даже неинтересно. Но это так. Проблема лишь в том, чтобы *обратить внимание* на свои чувства. Люди больше склонны доверять разумным доводам, чем своим чувствам. Поэтому люди разучились обращать внимание на состояние душевного комфорта.

Вот вы проигрываете в уме один из вариантов решения. Разум в этот момент руководствуется не чувствами, а здравыми рассуждениями. Он вообще не склонен в такой момент воспринимать любые чувства. Если вам удалось *вспомнить*, обратите внимание, что вы *чувствуете*. Вас что-то настораживает, беспокоит, внушает опасения или не нравится? Вот вы приняли решение. Прикажите разуму на мгновение замолкнуть и спросите себя: «Хорошо вам или плохо?»

Теперь склонитесь к другому варианту решения и снова спросите себя: «Хорошо вам или плохо?»

Если у вас нет однозначного ощущения, значит, ваш разум еще очень плохо слышит. Пусть ваш Смотритель почаще заставляет вас обращать внимание на состояние вашего душевного комфорта. Но может быть, что и сам ответ на ваш вопрос неоднозначен. В таком случае нельзя полагаться на столь неопределенные данные. Остается действовать так, как подсказывает разум. Или же упростить вопрос.

Если удалось получить однозначный ответ «да, мне хорошо» или «нет, мне плохо», значит, вы услышали шелест утренних звезд. Теперь вы знаете ответ. Это не означает, что вы поступите в соответствии с велениями души. Мы не всегда вольны в своих поступках. Но, по крайней мере, вы будете знать, чего можно ожидать в нереализованном секторе.

Проситель, Обиженный и Воитель

Есть две крайности поведения в жизненных ситуациях: плыть по течению, как безвольный бумажный кораблик, или грести против течения, упрямо настаивая на своем.

Если человек просто бездействует, не проявляет инициативу, не стремится никуда, просто существует, тогда жизнь управляет им. В таком случае человек становится марионеткой маятников, и они распоряжаются его судьбой по своему усмотрению. Занимая такую позицию, он отказывается выбирать свою судьбу. Его выбор состоит в том, что она предрешена: чему быть — того не миновать. Соглашаясь с такой установкой, человек утверждает, что от судьбы не уйдешь. И он совершенно прав, поскольку в пространстве для него имеется и такой вариант. После такого выбора человеку остается только беспомощно жаловаться на судьбу и уповать на высшие силы.

Отдав свою судьбу в чужие руки, человек идет по жизни двумя путями. Двигаясь по первому пути, он может смириться и *просить* подаяние для своей жизни, обращаясь со своими просьбами либо к маятникам, либо к неким высшим силам. Маятники заставляют Просителя работать, и он всю жизнь гнет спину, получая скромные средства к существованию. Проситель наивно взывает к высшим силам, но им до него и дела нет.

Проситель снимает с себя ответственность за свою судьбу, мол, «на все воля Божья». А коли так, надо просто хорошо попросить, и Бог милостив, подаст. «Горы и долины! Реки и моря! О, небо! О, земля! Я преклоняюсь перед вашим могуществом! Меня переполняет вера и благоговение. Я верю, что вы поможете мне купить мою утреннюю газету!» Что, слишком утрировано? Ничуть, потому что для могущественных высших сил и утренняя газета, и дворец — без разницы — все возможно. Значит, просил плохо! Ну что ж, проси дальше.

Есть такой анекдот. Мужик лежит на диване и молится: «Господи, помоги мне разбогатеть. Ведь ты все можешь! Я верую в твое могущество! Я надеюсь на твое милосердие!» А Господь, с досадой: «Мужик, ну ты хоть лотерейный билет купи!» Вот такая удобная позиция: снять с себя ответственность и одновременно барахтаться в своей внутренней важности. В чем она здесь? Человек вообразил себя настолько важной фигурой, что полагает, будто Бог при всем своем могуществе и милосердии будет заботиться о его благополучии. Бог и так дал человеку слишком много — свободу выбора, а тот из-за своей инфантильности не хочет принять этот дар и вечно не доволен.

Инфантильность находит свое оправдание в том, что на пути к цели выстраивается масса препятствий. Человеку вечно что-то мешает. А мешают ему равновесные силы и маятники, возникающие как следствие им же самим созданных избыточных потенциалов важности. Получается, как в той детской игре. «„Гуси-гуси!“ — „Га-га-га!“ —„Есть хотите?“ — „Да-да-да!“ —

„Ну, летите!“ — „Мы не можем! Серый волк под горой не пускает нас домой!“».

Если человека не устраивает роль Просителя, он может выбрать второй путь: принять роль Обиженного, то есть выражать недовольство и требовать то, что ему *якобы причитается*. Обиженный наносит еще больший вред судьбе своими претензиями. Для примера приведем еще одну аллегорию. Человек приходит в картинную галерею, там ему не нравится экспозиция, и он считает себя вправе выражать недовольство. Он начинает топать ногами, грозиться, требовать, а то и крушить все вокруг. Естественно, вслед за этим следует наказание. Человек еще больше обижается и продолжает активно негодовать: «Как же! Ведь они должны были из кожи вылезти, чтобы мне угодить!» Ему не приходит в голову, что он всего лишь *гость* в этом мире.

С точки зрения Трансерфинга и тот и другой путь выглядит совершенно нелепо. Трансерфинг предлагает совершенно новый путь: *не проси и не требуй, а пойди и возьми*.

Что же тут нового? Ведь так и поступает человек, сделавший другой выбор: моя судьба в моих руках. Он начинает бороться с миром за место под солнцем. Занимая жесткую позицию, человек ведет войну с маятниками, вовлекается в конкуренцию, работает локтями. В общем, вся жизнь — сплошная *борьба* за существование. Человек выбрал борьбу, и этот вариант в пространстве тоже имеется.

Мы с вами уже знаем, что как смирение, так и недовольство вовлекают нас в зависимость от маятников. Вспомните материал главы о потенциалах важности, и вам все станет ясно. Проситель создает потенциал своей вины и добровольно отдает себя в руки манипуляторов. Тот, кто просит, заранее предполагает, что он повинен просить и ждать — может, подадут. Обиженный создает потенциал недовольства, обращает против себя равновесные силы и активно портит свою судьбу.

Воитель, выбравший борьбу, занимает более продуктивную позицию, но его жизнь трудна и отнимает много сил. Как бы человек ни сопротивлялся, он только крепче заворачивается в паутину. Ему кажется, что он борется за свою судьбу, а на самом деле только впустую расходует энергию. Иногда человек одерживает победу. Но какой ценой! Победа выставляется на всеобщее обозрение, и все в очередной раз убеждаются, что лавры даются совсем не просто. Так создается и укрепляется общественное мнение: чтобы чего-то достичь, нужно упорно трудиться или отважно сражаться.

Общественное мнение фактически формируется маятниками. Потенциалы важности служат кормушками маятников. Цель труднодоступна — внешняя важность. Она может быть достигнута только личностью, обладающей незаурядными качествами, — внутренняя важность. На пути к цели человека обдерут как липку. Возможно, ему позволят добраться до финала. И он будет очень доволен, не понимая, что потратил энергию не столько на саму цель, сколько на поборы маятников.

Получается примерно следующая картина. Человеку необходимо пройти к своей цели через толпу попрошаек. Они все галдят, загораживают путь, хватают за руки. Человек пытается оправдываться, извиняться, отдавать деньги, толкаться, пробиваться, драться. Наконец он с большим трудом добирается до своей цели. Энергия, потраченная на собственно достижение цели, составляет лишь малую часть и идет только на то, чтобы *переставлять ноги*. Остальная масса энергии была потрачена на борьбу с назойливыми попрошайками.

Разорвав путы маятников, человек получает свободу. Попрошайки оставят его в покое и переключатся на других. Как вы помните, чтобы освободиться от маятников, необходимо отказаться от внутренней и внешней важности. Если вы это сделаете, препятствия на пути к цели просто самоустранятся. Вот тогда вы сможете *не просить, не требовать и не бороться, а просто пойти и взять*.

Теперь возникает вопрос: как понимать фразу «пойти и взять» и что для этого нужно делать? Вся оставшаяся часть книги посвящена ответу на этот вопрос, и скоро вы все узнаете. Мы обрисовали пока общую стратегию выбора своей судьбы. Роли Просителя, Обиженного и Воителя нам не подходят. Как вы думаете, какую роль отводит Трансерфинг хозяину своей судьбы в игре под названием жизнь? Это вам домашнее задание.

А пока что рассмотрим тактические приемы поведения в жизненных ситуациях.

Движение по течению

Проситель и Обиженный безвольно плывут по течению жизни. Воитель, напротив, пытается бороться с этим течением. Конечно, чистых типов таких людей не бывает. Каждый время от времени берет на себя ту или иную роль в большей или меньшей степени. Исполняя такие роли, человек действует крайне неэффективно. Но если нельзя ни бороться, ни плыть по течению, что же остается?

Выше было показано, как разум авторитарно диктует свою волю, основанную на здравом смысле. Многие люди очень трезво рассуждают и в то же время никак не могут справиться со своими проблемами. Велика ли польза от такого здравого смысла? Разум не может гарантировать надежное решение. Разуму кажется, что он мыслит трезво, а на самом деле он просто идет вразнос по маятникам. Ни о какой свободе передвижения не может быть и речи, пока человек выступает в роли Просителя, Обиженного или Воителя. Даже у Воителя свободы волеизъявления не больше, чем у бумажного кораблика.

Как движется по течению жизни Воитель? Маятники провоцируют его на борьбу, и он гребет против течения, не понимая, что проще и выгодней его *исполь-*

зовать. Разум захвачен маятниками, но Воитель настроен решительно и, принимая волевые решения, изо всех сил лупит руками по воде там, где можно делать спокойные и плавные движения.

А теперь представьте, что вы не сопротивляетесь течению и не вносите в него лишних завихрений, но и не плывете безвольно, как бумажный кораблик. Вы намеренно двигаетесь в согласии с ним, замечаете встречающиеся мели, помехи, опасные участки и только плавными движениями сохраняете выбранное направление. Штурвал у вас в руках.

А можно ли вообще рассматривать жизнь как течение? И почему нельзя ни безвольно плыть, ни сопротивляться ему? С одной стороны, информация лежит в пространстве вариантов стационарно, в виде матрицы. Но в то же время структура информации организована в цепочки причинно-следственных связей. Причинно-следственные связи порождают *течение вариантов*. Вот об этом течении и пойдет речь.

Главная причина, по которой не следует активно ему сопротивляться, состоит в том, что при этом бесполезно или во вред затрачивается масса энергии. Но можно ли полагаться на течение вариантов? Ведь оно может занести не только в спокойную лагуну, но и перейти в водопад. Именно для того, чтобы избежать неприятностей, вы должны плавными действиями корректировать свое движение. Конечно, для начала необходимо правильно выбрать общее направление этого течения. Направление определяется избранной целью и способом ее достижения. После того как направление выбрано, следует максимально положиться на течение и не допускать резких движений.

Каждый примерно представляет общее направление своего течения. Например, сейчас я учусь, потом найду работу, заведу семью, буду продвигаться по служебной лестнице, строить свой дом и так далее. Многие на своем пути совершают массу ошибок и жалеют, оглядываясь назад. Но ничего уже не исправишь, дело сделано. Течение ушло далеко в сторону от желанной цели. Здравомыслящий разум не спасает. Только и остается сожалеть, что «если бы знал, где упаду, подстелил бы соломку».

Каждый хочет знать, что их ожидает там, за поворотом. Не все всерьез обращаются к гадалкам и астрологам, но многие интересуются, хотя бы из любопытства. Оптимистичный астрологический прогноз или предсказание зажигает искорку надежды. А от нежелательных прогнозов можно и отмахнуться. Модель Трансерфинга не вступает в противоречие с астрологией. Прогнозы имеют под собой реальное основание — пространство вариантов. Астрология существует не только потому, что людям любопытно заглянуть будущее. Если бы процент попаданий был слишком низок, никто бы не полагался на эфемерные предсказания. Однако существование течения вариантов действительно позволяет, опираясь на определенные закономерности, заглянуть в нереализованные секторы пространства. Другое дело, что астрологические вычисления, конечно, не могут гарантировать стопроцентной точности, как и в случае с ясновидением.

Каждый решает для себя сам, насколько полагаться на предсказания и астропрогнозы. Мы с почтением оставим эту тему в стороне и посмотрим, что полезного можно извлечь из знания о существовании течения вариантов. Главный вопрос состоит в том, насколько можно отдаться течению, если основное направление выбрано верно, и почему вообще следует ему отдаваться.

Как было показано выше, разум постоянно находится под давлением искусственно созданной важности, поэтому он не может принимать эффективные решения. Внутренняя и внешняя важность является, по сути, главным источником проблем. Действие равновесных сил проявляется в виде порогов и водоворотов на пути по течению. Если сбросить важность, течение перейдет в более спокойное русло. Вопрос о том, следует ли отдаться этому течению, тоже является вопросом важности. Внешняя важность заставляет разум искать сложные решения простых проблем. Внутренняя важность убеждает разум в том, что он здраво мыслит и принимает единственно верное решение.

Если отбросить важность, разум вздохнет свободно, потому что освободится от влияния маятников и давления искусственно созданных проблем. Он сможет принимать более объективные и адекватные решения. Но вся прелесть заключается в том, что разум, освобожденный от важности, не будет нуждаться в мощном интеллекте. Конечно, для решения повседневных задач понадобится и логическое мышление, и знания, и аналитический аппарат. Но на все это будет тратиться гораздо меньше энергии. Существование течения вариантов — это роскошный подарок для разума, которым он почти не пользуется.

Течение вариантов уже содержит в себе решения всех проблем. Да и большинство проблем искусственно создаются самим же разумом. Беспокойный разум постоянно испытывает на себе толчки маятников и берется решать все проблемы, пытаясь держать ситуацию под контролем. Его волевые решения — это в большинстве случаев бессмысленные шлепки руками по воде. Почти все проблемы, особенно мелкие, решаются сами собой, если не мешать течению вариантов.

Мощный интеллект ни к чему, если решение уже существует в пространстве. Если не лезть в дебри и не мешать течению вариантов, решение придет само, причем самое оптимальное. Оптимальность уже заложена в структуре поля информации. Дело в том, что причинно-следственные связи порождают отдельные *потоки* в течении вариантов. Эти потоки являются наиболее оптимальными путями движения причин и следствий. В пространстве вариантов есть все, но с большей вероятностью реализуются именно оптимальные и наименее энергоемкие варианты. Природа не тратит энергию впустую. Люди ходят на ногах, а не на ушах. Все процессы стремятся идти по пути наименьших энергозатрат. Поэтому потоки вариантов организованы по пути минимального сопротивления. Именно в них лежат наиболее оптимальные решения. Разум, захваченный маятниками, действует в их интересах и постоянно выбивается из потоков. Другими словами, разум лезет в дебри, то есть ищет сложные решения простых проблем.

Все эти рассуждения могут вам показаться излишне абстрактными. Но вы сами можете на практике убедиться, насколько реально существование потоков. *Это поистине роскошный подарок для разума.* В любой проблеме зашифрованы ключи к ее решению. Самый первый ключ — двигаться по пути наименьшего сопротивления. Люди, как правило, ищут сложные решения, потому что воспринимают проблемы как препятствия, а препятствия, как известно, преодолевать положено с напряжением сил. Необходимо выработать привычку выбирать самый простой подвернувшийся вариант решения проблемы.

Всем нам приходится либо учиться чему-то новому, либо делать уже знакомые и привычные вещи. Вопрос: как и то и другое делать наиболее эффективным образом? Ответ настолько прост, что в его действенность трудно поверить: *в соответствии с принципом движения по течению все нужно стараться делать так, как оно делается наиболее легким и простым образом.*

Самые оптимальные варианты любых действий организованы в потоки. Эти потоки составлены из цепочек оптимальных причинно-следственных связей. Когда вы принимаете решение сделать следующий шаг в вашем действии, вы делаете выбор следующего звена цепочки. Остается определить, какое звено является элементом потока. Что делает человек в таких случаях? Он принимает логическое решение, которое с точки зрения здравого смысла и обыденного опыта является наиболее правильным.

Разум принимает волевое решение. Он считает, что способен все рассчитать и объяснить. Однако это не так, и вы сами можете подтвердить, сколько раз поздно спохватывались и вспоминали, что можно было это сделать иначе. Дело вовсе не в рассеянности или недостаточной остроте ума. Разум не всегда может выбрать оптимальный вариант лишь потому, что цепочки потока не всегда совпадают с его логическими построениями.

Как бы вы ни старались, вам редко удается выбрать оптимальный вариант действий при помощи лишь логических заключений. Разум, как правило, находится под давлением стресса, забот, депрессии или повышенной активности. Другими словами, разум постоянно дергают маятники. Поэтому он всегда действует напористо и форсирует лобовую атаку на внешний мир.

Для того чтобы выбрать следующую цепочку потока, надо всего лишь освободиться от нитей маятников и просто послушно следовать этому потоку. То есть нужно занять положение равновесия и не создавать избыточных потенциалов. Чтобы не создавать избыточных потенциалов, необходимо постоянно следить за уровнем важности.

Когда вы вошли в состояние равновесия с окружающим миром, просто следуйте за потоком. Вы сами увидите множество знаков, которые вас поведут. Отпустите ситуацию, станьте не участником, а сторонним наблюдателем. Не рабом и не хозяином, а просто исполнителем. Накажите своему Смотрителю, чтобы он постоянно одергивал вас, когда ваш разум пытается принять «разумное» волевое решение. Сдайте себя в аренду в качестве исполнителя, а сами наблюдайте за работой со стороны. *Все делается гораздо проще, чем кажется. Отдайтесь этой простоте. К водопаду приводит разум, а не течение вариантов.*

Например, вам необходимо найти в магазине нужную вещь. Но не известно, где ее можно достать. Разум подсказывает самый разумный, но сложный вариант. Вы объезжаете полгорода, но в конечном итоге находите нужную вещь рядом со своим домом. Если бы важность задачи была ниже, разум не стал бы искать сложное решение.

Другой пример. Перед вами стоит целый список дел. Что выбрать сначала, а что потом? Не надо думать. Если порядок не имеет принципиального значения, просто делайте так, как делается. Двигайтесь вместе с потоком, отвяжите свой разум от влияния маятников. Речь идет не о том, чтобы превратиться в безвольный бумажный кораблик на волнах, а о том, чтобы не лупить руками по воде, в то время как достаточно делать плавные, легкие и простые для вас движения.

Я не буду продолжать список примеров. Вы сами сделаете для себя массу полезных и удивительных открытий, если хотя бы в течение одного дня попробуете двигаться по течению. Всякий раз, как только вам нужно найти какое-то решение, спросите себя: а какой путь поиска решения самый легкий? Выбирайте самый простой путь поиска. Всякий раз, как только кто-то или что-то отвлекает или сбивает вас с пути, не спешите активно противостоять или уклоняться. Попробуйте сдать себя в аренду и понаблюдайте, что будет дальше. Всякий раз, как только вам нужно что-то сделать, спросите себя: а как это можно сделать проще всего? Позвольте делу делаться так, как оно делается проще. Всякий раз, когда вам что-то предлагают или доказывают свою точку зрения, не спешите отказываться и спорить. Может быть, ваш разум не понимает своей выгоды и не видит альтернативы. Активизируйте Смотрителя. Сначала наблюдайте и только потом действуйте. Спуститесь в зрительный зал, не спешите установить контроль и позвольте игре развиваться насколько возможно самостоятельно, под вашим наблюдением. Не надо лупить руками по воде. Не мешайте вашей жизни двигаться по течению, и вы увидите, насколько вам стало легче.

Путеводные знаки

Но как отличить надвигающуюся мель или водопад от нормального поворота в потоке? Ориентироваться в окружающем мире можно с помощью вполне осязаемых знаков. Мир постоянно подает нам эти знаки.

Наиболее известный и распространенный вид знаков — это приметы. Есть приметы плохие и хорошие. Если увидел радугу — хороший знак. Если черная кошка перебежала дорогу — жди беды. Так принято считать. Общепринятые приметы сформировались в результате многократных наблюдений и сопоставлений. Если процент срабатывания приметы достаточно высок, выявляется закономерность, которая становится достоянием общественного мнения, поскольку люди постоянно рассказывают друг другу о странных явлениях. Однако приметы далеко не всегда сбываются. Почему же так получается?

Что происходит, когда человек забыл какую-нибудь вещь, и ему приходится вернуться? Он думает: возвращаться — плохая примета. Он может не верить в приметы, но стойкий общественный стереотип все равно отбрасывает тень в подсознании. В мыслях рождается установка на ожидание какой-нибудь неприятности. Или нет, думает человек, не буду возвращаться. Но это тоже не помогает, потому что ровное течение уже нарушено и человек в какой-то степени уже выбит из равновесия. Ожидание беды вносит свои коррективы в параметры мысленного излучения, и человек переносится на линии жизни, соответствующие этим параметрам. Он получает то, чего опасается. Он сам допустил такую возможность в свой сценарий. Именно поэтому вероятность срабатывания приметы возрастает.

Как видите, общепринятая примета сама по себе не может служить законом или даже закономерностью. Почему именно черная кошка служит *для всех* стандартным дурным знаком? Или с какой стати черная кошка может оказать какое-то влияние на нашу жизнь? Влияние оказывает не она, а ваше отношение к примете. Если вы верите в приметы, они будут участвовать в формировании событий вашей жизни. Если не верите, но сомневаетесь, влияние примет ослабнет, но все же останется. Если не верите и не обращаете на них внимания, они не будут оказывать на вашу жизнь никакого влияния. Все очень просто: *вы получаете то, что допускаете в сценарий своей жизни*. Человек, рассматривающий приметы как предрассудки, не имеет в слое своего мира никаких признаков их исполнения. Приметы действуют в слоях чужих миров, потому что те люди находят для себя подтверждения, а наш неверующий — нет.

Если приметы сами по себе не оказывают влияния на события жизни, тогда о каких путеводных знаках пойдет речь? Черная кошка не может оказать влияния, но она может служить знаком, предупреждающим о событии, которое будет иметь место на пути течения вариантов. Вопрос только в том, какие знаки считать путеводными. Ведь если задаться целью наблюдать, можно во всем происходящем вокруг видеть сплошные знаки. Но как их интерпретировать? Интерпретацией мы заниматься не будем. Неблагодарное это занятие. Слишком ненадежно и непонятно. Единственно, что можно сделать, — это принять знак к сведению, усилить бдительность Смотрителя и быть более осторожным.

Путеводными знаками являются те, которые указывают на возможный поворот в течении вариантов. Другими словами, знак служит предвестником события, которое внесет вполне ощутимое изменение в размеренное течение жизни. Если вы ожидаете какой-то поворот, хоть незначительный, тогда может появиться знак, сигнализирующий о нем. Если надвигается поворот, который вы не ожидает, — тоже может появиться какой-нибудь характерный знак. Что значит характерный?

Дело в том, что когда течение вариантов делает поворот, вы переходите на другую линию жизни. Напомним, что линия является более-менее однородной по качеству жизни. Поток в течении вариантов может пересекать разные линии. Линии жизни отличаются друг от друга своими параметрами. Перемены могут быть незначительными, но разница все же ощущается. Вот эту качественную разницу вы и подмечаете сознательно или подсознательно: будто что-то не так, как было минуту назад.

Таким образом, путеводные знаки появляются только в том случае, когда начинается переход на другие линии жизни. Вы можете не обратить внимания на отдельное явление. Например, ворона каркнула, а вас это не насторожило, вы не почувствовали качественной разницы, значит, все еще находитесь на прежней линии. Но если вы обратили внимание на явление, почувствовали в нем что-то необычное, несвойственное, это может быть знаком.

Знак отличается от обычного явления тем, что он всегда сигнализирует о начавшемся переходе на существенно отличную линию жизни. Настораживают обычно явления, произошедшие сразу же после перехода на другую линию. Это потому, что линии качественно отличаются друг от друга. Эти отличия могут носить разный характер, иногда не поддающийся внятному объяснению: *ощущение, как будто что-то не так.* Когда произошел переход, мы это интуитивно чувствуем, иногда подмечая явные изменения в виде знаков. Мы будто краем глаза видим или подозреваем, как появилось нечто новое в течении. Знаки служат указателями, они говорят нам: что-то изменилось, что-то происходит.

Явление, произошедшее на текущей линии жизни, как правило, не настораживает. Оно имеет то же качество, что и другие явления на данной линии. Хотя, если человек игнорирует все, что творится вокруг него, он не заметит и явных знаков. Переход на существенно отличную линию обычно происходит поэтапно, через промежуточные линии. Знаки на этих линиях могут появляться как предупреждения различной степени строгости. Бывает так, что человек проигнорировал первое предупреждение. Переход продолжается, следует второе предупреждение, потом третье, и если после этого он не останавливается, происходит то, что должно произойти на финальной линии.

Как уже говорилось, однозначно интерпретировать знаки очень сложно. Не может быть уверенности даже в том, что явление, обратившее на себя ваше внимание, является знаком. Можно только принимать к сведению то, что мир хочет что-то сообщить. Нас интересуют прежде всего надвигающиеся мели и пороги. Иногда хочется получить хотя бы намек, чего следует ждать впереди. В большинстве случаев вопрос можно сформулировать так, чтобы получился двухполярный ответ: да или нет. Например, получится или нет успею или нет, сумею или нет, хорошо или плохо, опасно или нет, и так далее. *Интерпретацию знака необходимо сводить лишь к намеку на версию ответа типа «положительно» или «отрицательно».* На большую точность не стоит рассчитывать.

Знак несет в себе *намек* на качество грядущего поворота. Если знак ассоциируется с неприятными ощущениями, внушает опасение, недоверие, неприятное удивление, беспокойство, дискомфорт, значит, он сигнализирует о негативном повороте событий. Если ощущения неоднозначны, тогда нет смысла интерпретировать знак — оценка будет ненадежной. В любом случае не стоит сильно беспокоиться и придавать этому большое значение. Однако если вы обратили внимание на знак, не стоит и пренебрегать. Может быть, он несет в себе предупреждение, что надо быть осторожней, или изменить свое поведение, или вовремя остановиться, или выбрать другое направление действий.

Знаки могут иметь самую разнообразную форму. Требуется только различать, какое они имеют значение: позитивное или негативное. Например, я спешу, а мне загораживает дорогу старушка с клюкой, и я никак не могу ее обойти. Что должен означать такой знак? Скорее всего, я опоздаю. Или вот, мой автобус, который обычно едет не спеша, сегодня почему-то летит как угорелый. Видимо, я где-то зарвался и мне следует быть осторожней. Или вот, задуманное никак не поддается, появляются какие-то вязкие препятствия, дело движется со скрипом. Может быть, я выбрал тупиковый путь и мне туда вовсе не надо?

Главное достоинство знаков в том, что они способны вовремя пробудить вас от сна наяву и дать понять, что вы, возможно, действуете в интересах деструктивного маятника и в ущерб себе. Человек часто совершает роковые ошибки, находясь под зомбирующим наркозом маятника, а потом вспоминает, что не отдавал себе отчета в своих действиях, потерял бдительность. В таких случаях интерпретация даже безобидных знаков, как предупреждение, не будет излишней. Осмотрительность и осознанный, трезвый взгляд на происходящее никогда не помешают. Главное, чтобы осторожность не перерастала в беспокойство и мнительность. Необходимо заботиться, не беспокоясь. Сдавая себя в аренду, действовать безупречно.

Как ни странно, самые ясные и четкие путеводные знаки — это фразы людей, брошенные как бы невзначай, спонтанно, без предварительного обдумывания. Если вам осознанно пытаются навязать свое мнение, можете пропустить это мимо ушей. Но если брошена спонтанная фраза, которая является рекомендацией что-либо сделать или как поступить, отнеситесь к ней очень серьезно.

Спонтанные фразы — это те, которые произносятся совершенно необдуманно. Вспомните, как бывает, когда вы отвечаете на чью-то реплику буквально сразу, не раздумывая. Ответ как будто уже существует где-то в глубине сознания и слетает с ваших губ, минуя аналитический аппарат разума. Подобным же образом бросаются рассеянные фразы, когда разум либо дремлет, либо занят чем-то другим. Когда разум дремлет, говорит душа, а она-то как раз обращается к информационному полю напрямую.

Например, вам невзначай бросили: «Возьми шарфик, простудишься». Наверняка если не послушаетесь, то потом пожалеете. Или вот, вы озабочены какой-то проблемой, а кто-то попутно бросает малозначащую для вас рекомендацию. Не спешите отмахнуться и прислушайтесь. Или вот, вы уверены в своей правоте, а кто-то между делом, не нарочно, показывает, что это не так. Не упрямьтесь и осмотритесь, не лупите ли вы руками по воде.

Душевный дискомфорт — тоже очень ясный знак, только, как правило, на него мало обращают внимания. Если нужно принять решение, никто лучше вашей души не знает, как это делать. Часто очень трудно понять, что именно подсказывает вам душа. Но, как было показано выше, можно вполне однозначно определить, нравится ей решение разума или нет. Вот вам необходимо принять какое-то решение. Остановитесь и послушайте шелест утренних звезд. А если ваш разум уже принял решение и вы вспомнили про шелест с опозданием, постарайтесь восстановить в памяти, какие чувства вы испытывали, когда принимали решение. Чувства эти можно охарактеризовать как «мне хорошо» или «мне плохо». Если решение вам далось с неохотой, если было гнетущее состояние, тогда это однозначно «плохо». В таком случае, если решение можно переменить, смело меняйте.

Определить состояние душевного комфорта нетрудно. Трудно вовремя *вспомнить*, что вам нужно прислушаться к своим чувствам, ведь разум рассуждает авторитарно и никого, кроме себя, слушать не расположен. Громогласный грохот здравого смысла не только заглушает шепот души. Разум всегда всячески старается обосновать и доказать свою правоту. Вот вы стоите перед выбором: «да» или «нет». Душа пытается робко возразить: «нет». Разум отдает себе отчет, что душа говорит «нет», но притворяется, что не слышит, и убедительно обосновывает, опираясь на «здравые рассуждения», свое «да». Прочитав эти строки, отложите их на отдельную полочку своей памяти и в

следующий раз, когда будете принимать решение, вспомните про них. Вы убедитесь, что все происходит именно так.

Предлагаю вам хорошо запомнить простой и надежный алгоритм для определения душевного «нет»: *если вам приходится себя убеждать и уговаривать сказать «да», значит, душа говорит «нет».* Запомните, *когда ваша душа говорит «да», вам нет необходимости себя уговаривать.* Впоследствии мы еще обратимся к этому алгоритму.

Необходимо постоянно наблюдать, какие знаки подает вам окружающий мир. Но не следует стремиться видеть знаки во всем. «Вот птицы высоко летают. К чему бы это?» Да высоты они не боятся, вот и летают себе. Стоит лишь принимать знаки к сведению и *помнить*, что они могут быть путеводными. Как только забываете об этом, вас сразу берут в оборот маятники, и вы можете стать жертвой обстоятельств.

Особенно скрупулезно нужно проверять желания и поступки, которые способны в корне изменить вашу судьбу. Если желание вызывает некоторый дискомфорт и есть возможность от него отказаться — откажитесь. Оно идет не от души, а от разума. Желания разума всегда навязаны маятниками. То же самое касается поступков. Если проигнорировать душевный дискомфорт, в большинстве случаев ничего страшного не случится, но иногда вам придется крупно пожалеть. Поэтому лучше по возможности *отказываться* от желаний и поступков, вызывающих дискомфорт, сомнения, опасения и чувство вины. Это намного упростит вам жизнь и избавит от массы проблем.

Правда, есть одно «но». Если в результате неверных поступков завязался клубок проблем, то принцип отказа не всегда будет уместен. В некоторых случаях вам придется делать «дискомфортные» вещи, например говорить неправду или идти на ненавистную работу. Однако, когда эти клубки будут развязаны, можете смело пользоваться принципом отказа.

Вот и все, что можно рассказать о путеводных знаках в рамках модели Трансерфинга. Свои знаки можете заметить и интерпретировать только вы. Не нужно вас учить, как это делать. Вы сами все поймете, если будете наблюдать за собой и окружающим миром. Не следует только придавать недостаточно ясным знакам избыточно важное значение и включать негативные интерпретации в сценарий своей жизни. Чтобы не сесть на мель и не налететь на порог, достаточно просто не создавать избыточные потенциалы. При этом можно обойтись и без знаков. Все-таки нам не дано ясно понимать их значение. Единственный знак, на который следует обратить особое внимание, — это состояние душевного комфорта во время принятия решений. К шелесту утренних звезд действительно стоит прислушаться.

Отпустить ситуацию

Существование потоков в течении вариантов освобождает разум от двух непосильных грузов: необходимости рационально решать проблемы и постоянно контролировать ситуацию. Конечно, при условии, что он позволит себя освободить. Чтобы разум это позволил, ему требуется более-менее рациональное объяснение. Как вы заметили, в этой книге очень много иррационального, не согласующегося с позицией здравого смысла. И хоть целью Трансерфинга не является объяснение строения окружающего мира, мне так или иначе постоянно приходится обосновывать все эти шокирующие разум выводы.

А как же иначе? Монолит здравого смысла поколебать очень трудно. Разум не привык принимать все на веру. Он требует обоснований и доказательств. Доказательства вы получите сами, если проверите принципы Трансерфинга на практике. Я же могу привести только некоторые обоснования, чтобы успокоить недоверчивый разум. В противном случае вы бы не стали не только проверять эти принципы, но и вообще читать дальше. А ведь это еще только начало. Впереди вас ждет много удивительных открытий.

Два упомянутых груза возложены на разум еще с детства. Нас постоянно приучали: «Думай своей головой! Ты отдаешь себе отчет в том, что делаешь? Объясни мне свой поступок! Учи уроки, только умом можно чего-то добиться в жизни. Бестолковая твоя голова! Ты будешь соображать или нет?» Воспитатели и обстоятельства слепили из разума «солдата», готового в любой момент найти объяснение, дать ответ на поставленный вопрос, оценить ситуацию, принять решение, держать контроль над происходящим. Разум приучен действовать целесообразно с точки зрения здравого смысла.

Не подумайте только, что я так зарвался, что готов напрочь отмести здравый смысл. Напротив, здравый смысл является минимально необходимым набором правил, как вести себя в окружающем мире, чтобы выжить. Вот только ошибка разума состоит в том, что он следует этому кодексу правил буквально и слишком прямолинейно. Зацикленность на здравом смысле мешает разуму оглянуться по сторонам и увидеть то, что с этими правилами не согласуется.

А расхождений со здравым смыслом в мире существует очень много. Подтверждением тому является неспособность разума все объяснить и уберечь человека от проблем и неприятностей. Из этой ситуации есть очень простой выход: положиться на потоки в течении вариантов. Обоснование тому тоже очень простое: в потоках как раз заложено то, что ищет разум — целесообразность. Как вы знаете, потоки идут по пути наименьшего сопротивления. Разум стремится рассуждать здраво и логически, опираясь на причинно-следственные связи. Но несовершенство разума не позволяет ему безошибочно ориентироваться в окружающем мире и находить единственно правильные решения.

Природа же изначально совершенна, поэтому в потоках больше целесообразности и логики, чем в самых мудрых рассуждениях. И как бы не был убежден разум в том, что мыслит здраво, он все равно будет ошибаться. Впрочем, разум в любом случае будет делать ошибки, но гораздо меньше, если он умерит свое усердие и по возможности позволит проблемам разрешаться без его активного вмешательства. Это и называется *отпустить ситуацию*. Другими словами, нужно ослабить хватку, снизить контроль, не мешать течению, дать больше свободы окружающему миру.

Вы уже знаете, что давить на мир не только бесполезно, но и вредно. Не соглашаясь с течением, разум создает избыточные потенциалы. Трансерфинг предлагает совсем другой путь. Во-первых, препятствия создаем мы сами, нагнетая избыточные потенциалы. Если снизить важность, препятствия устранятся сами собой. Во-вторых, если уж препятствие не поддается, надо не бороться с ним, а просто обойти стороной. В этом помогут путеводные знаки.

Беда разума еще в том, что он склонен воспринимать события, которые не укладываются в его сценарий, как препятствия. Разум обычно все заранее планирует, просчитывает, а если потом случается непредвиденное, начинает активно с этим бороться, чтобы подогнать события под свой сценарий. В результате ситуация еще больше усугубляется. Разумеется, идеально спланировать события разум не в состоянии. Вот здесь и надо дать больше свободы течению. Течение не заинтересовано в том, чтобы сломать вашу судьбу. Это опять же нецелесообразно. Судьбу ломает разум своими неразумными действиями.

Целесообразность, с точки зрения разума — это когда все идет по запланированному сценарию. Все, что не согласуется, воспринимается как нежелательная проблема. А проблему надо решать, за что разум и берется с большим усердием, порождая новые проблемы. Таким образом разум сам нагромождает на своем пути массу препятствий.

Подумайте сами: когда люди бывают счастливы, испытывают удовлетворение, довольны собой? Когда все идет по плану. Любое отклонение от сценария воспринимается как неудача. Внутренняя важность не позволяет разуму принять возможность отклонения. Разум думает: «Ведь я все заранее спланировал, просчитал. Мне лучше знать, что для меня хорошо, а что плохо. Я разумен». Жизнь часто преподносит людям подарки, которые они принимают с неохотой, потому что они их не планировали. «Я хотел не такую игрушку!» Реальность такова, что мы редко получаем именно запланированные игрушки, поэтому ходим все такие зломрачные и недовольные. А теперь представьте себе, насколько радостней станет жизнь, если разум снизит свою важность и признает право на существование отклонений в сценарии!

Каждый сам может регулировать уровень своего счастья. Нижняя планка этого уровня у большинства людей сильно завышена, поэтому они не считают себя счастливыми. Я не призываю довольствоваться тем, что имеешь. Сомнительная формула типа «хочешь быть счастливым — будь им» для Трансерфинга не годится. Вы получите свою игрушку, но об этом поговорим позже. Сейчас речь идет о том, как избежать неприятностей и уменьшить число проблем.

Именно нежелание разума позволить отклонения в своем сценарии не дает ему воспользоваться готовыми решениями в потоке течения вариантов. Маниакальная склонность разума все держать под контролем превращает жизнь в сплошную борьбу с течением. Как же, разве он может позволить, чтобы течение шло своим ходом, не подчиняясь его воле? Вот здесь мы подошли к самой главной ошибке разума. *Разум стремится управлять не своим движением по течению, а самим течением.* Это одна из главных причин возникновения всяких проблем и неприятностей.

Целесообразный поток, двигающийся по пути наименьшего сопротивления, не может порождать проблемы и препятствия — их порождает бестолковый разум. Активизируйте Смотрителя и понаблюдайте, хотя бы в течение одного дня, как разум пытается управлять течением. Вам что-то предлагают, а вы отказываетесь, что-то пытаются сообщить — отмахиваетесь. Кто-то высказывает свою точку зрения, а вы спорите, кто-то делает по-своему — наставляете его на путь истинный. Вам предлагают решение, а вы возражаете. Ждете одно, а получаете другое и высказываете недовольство. Кто-то мешает — и вы приходите в ярость. Что-то идет вразрез с вашим сценарием — и вы бросаетесь в лобовую атаку, чтобы направить течение в нужное русло. Может, для вас лично все происходит несколько иначе, но доля правды все-таки есть. Верно?

А теперь попробуйте ослабить хватку своего контроля и предоставьте больше свободы течению. Я не предлагаю вам со всеми соглашаться и все принимать. Просто смените тактику: перенесите центр тяжести с контроля на наблюдение. Стремитесь больше наблюдать, чем контролировать. Не спешите отмахиваться, возражать, спорить, доказывать свое, вмешиваться, управлять, критиковать. Дайте шанс ситуации разрешиться без вашего активного вмешательства или противодействия. Вы будете если не ошарашены, то удивлены уж точно. А произойдет совершенно парадоксальная вещь. *Отказавшись от контроля, вы получите еще больший контроль над ситуацией, чем имели раньше.* Сторонний наблюдатель всегда имеет большее преимущество, чем непосредственный участник. Вот почему я постоянно повторяю: сдайте себя в аренду.

Когда вы оглянетесь назад, вы убедитесь, что ваш контроль шел против течения. Предложения других не были лишены смысла. Спорить вовсе не стоило. Ваше вмешательство было излишним. То, что вы рассматривали как препятствия, вовсе таковыми не являлись. Проблемы и так разрешаются благополучно без вашего ведома. То, что вы получили не по плану, вовсе не так плохо. Случайно брошенные фразы действительно имеют силу. Ваш душевный дискомфорт служил предупреждением. Вы не истратили лишней энергии и остались довольны. Вот это и есть тот роскошный подарок течения разуму, о котором я говорил вначале.

Ну и, конечно, вдобавок ко всему сказанному вспомним про наших «друзей». Двигаться в согласии с течением мешают маятники. Они на каждом шагу устраивают человеку провокации, заставляя его колотить руками по воде. Наличие потока в течении не устраивает маятники по той простой причине, что сам поток идет в направлении минимальных энергозатрат. Энергия, затрачиваемая человеком на борьбу с течением, идет на создание избыточных потенциалов и на корм маятникам. Единственный контроль, которому стоит уделить внимание, — это контроль за уровнем внутренней и внешней важности. Помните, что именно важность мешает разуму отпустить ситуацию.

Отпустить ситуацию во многих случаях гораздо эффективней и полезней, чем настаивать на своем. Стремление людей к самоутверждению еще с детства порождает привычку доказывать свою значительность. Отсюда идет вредная во всех отношениях склонность доказать свою правоту во что бы то ни стало. Это стремление создает избыточный потенциал и вступает в противоречие с интересами других людей. Часто люди стараются доказать свою правоту даже в тех случаях, когда вердикт в ту или другую сторону напрямую не затрагивает их интересы.

У некоторых людей чувство внутренней важности настолько гипертрофированно, что они стремятся в любых мелочах настоять на своем. Внутренняя важность перерастает в манию держать все под контролем: «Я всем докажу свою правоту, чего бы мне это ни стоило». Вредная привычка. Она очень усложняет жизнь прежде всего самому защитнику истины.

Если ваши интересы от этого сильно не пострадают, смело отпускайте ситуацию и предоставьте другим право колотить руками по воде. Если это делать сознательно, сразу же станет легко на душе, даже легче, чем если бы вы доказали свою точку зрения. Вам принесет удовлетворение тот факт, что вы поднялись на ступень выше: не стали, как обычно, отстаивать свою значительность, а поступили как мудрый родитель с неразумными детьми.

Приведем еще один пример. Излишнее рвение на работе так же вредно, как безалаберность. Допустим, вы устроились на престижную работу, о которой давно мечтали. Вы предъявляете к себе высокие требования, так как считаете, что обязаны показать себя на все сто. Это правильно, но, взявшись за дело слишком рьяно, скорее всего, не выдержите напряжения, особенно если задача сложная. В лучшем случае ваша работа будет неэффективна, а в худшем — вы заработаете нервный срыв. Вы можете даже прийти к ложному убеждению, что не в состоянии справиться с этой работой.

Возможен еще один вариант. Вы развиваете бурную деятельность и тем самым нарушаете установившийся порядок вещей. Кажется, что на работе можно многое усовершенствовать, и вы абсолютно уверены, что поступаете правильно. Однако если ваши нововведения повлекут за собой нарушение привычного уклада жизни ваших сотрудников, ничего хорошего не ждите. Это тот случай, когда инициатива наказуема. Вас посадили в медленное, но спокойное и уравновешенное течение, а вы изо всех сил колотите руками по воде, пытаясь плыть быстрее.

Что же, теперь получается, уже ни слова против сказать нельзя и вообще не стоит высовываться? Ну, не совсем так жестко. Надо подойти к этому вопросу с меркантильной точки зрения. Возмущаться и ругать можно лишь то, что вам непосредственно мешает, да и только в том случае, если ваша критика может что-то изменить к лучшему. Никогда не критикуйте то, что уже свершилось, что нельзя изменить. В остальном принцип движения по течению нужно применять не буквально, соглашаясь со всем и вся, а лишь путем перемещения центра тяжести с контроля на наблюдение. Больше наблюдайте и не спешите контролировать. Чувство меры к вам придет само, об этом можете не беспокоиться.

Резюме

Разум интерпретирует информацию с помощью набора устоявшихся обозначений.

Душа не думает и не говорит, а чувствует и знает.

Разум способен создать только относительно новую версию дома из старых кубиков.

Принципиально новые открытия приходят из нереализованных секторов.

Душа служит посредником между принципиально новой информацией и разумом.

Душа воспринимает нереализованную информацию как знания без интерпретаций.

Если разуму удается интерпретировать информацию души, рождается открытие.

Разум способен однозначно определить состояние душевного комфорта.

Приучите себя обращать внимание на душевный комфорт.

Отказавшись от важности, вы получаете свободу выбора своей судьбы.

Свобода выбора позволяет не просить, не требовать и не бороться, а пойти и взять.

Структура информации организована в цепочки причинно-следственных связей.

Причинно-следственные связи порождают течение вариантов.

Пути наименьшего сопротивления организованы в отдельные потоки.

Потоки в течении вариантов уже содержат в себе решения всех проблем.

Внутренняя и внешняя важность выбрасывает разум из оптимального потока.

К водопаду вас приводит разум, а не потоки в течении вариантов.

Все делается гораздо проще, чем кажется. Отдайтесь этой простоте.

Срабатывает не сама примета, а ваше отношение к ней.

Путеводные знаки указывают на возможный поворот в течении вариантов.

Линии жизни качественно отличаются друг от друга.

Знаки настораживают, потому что появляются при переходе на другую линию.

Знаки отличаются тем, что создают ощущение, как будто что-то не так.

Спонтанные фразы можно воспринимать как руководство к действию.

Состояние душевного дискомфорта является ясным знаком.

Если вам приходится себя уговаривать, значит, душа говорит «нет».

Если есть возможность отказаться от дискомфортного решения — отказывайтесь.

Необходимо ослабить хватку и принять непредвиденное событие в свой сценарий.

Принять возможность отклонения от сценария мешает важность.

Разум стремится управлять не своим движением по течению, а самим течением.

Перенесите центр тяжести с контроля на наблюдение.

Отказавшись от контроля, вы получите подлинный контроль над ситуацией.

Если вы будете двигаться по течению вариантов, мир пойдет к вам навстречу.

Научно-популярное издание

Зеланд Вадим

ТРАНСЕРФИНГ РЕАЛЬНОСТИ
Ступень I: Пространство вариантов

Подписано в печать с готовых диапозитивов 22.09.2005.
Формат 84×108 $^{1}/_{32}$. Печ. л. 7. Доп. тираж 20 000 экз. Заказ № 396.

Налоговая льгота — общероссийский классификатор продукции ОК-005-93, том 2; 953130 — литература по философским наукам, социологии, психологии.

Издательская группа «Весь»
197101, Санкт-Петербург, ул. Мира, д. 6.
Тел.: (812) 325 2999.
E-mail: info@vesbook.ru
Посетите наш сайт: http:/www.vesbook.ru

По вопросам размещения рекламы
в книгах Издательской группы «Весь»
обращайтесь в Отдел рекламы.
Тел.: (812) 325 2999 (многоканальный).
E-mail: ad@idves.spb.ru

Московское представительство
127521, Москва, ул. Веткина, владение 2г.
Тел.: (095) 219 2180.
E-mail: moscow@vesbook.ru

Генеральный дилер в России
ООО «Атберг 98»
Тел./факс (095) 105 5139.
E-mail: atberg@aha.ru; http:/atberg.aha.ru

Генеральный дилер в Украине
книготорговая компания «Библос»
Тел. +38 (044) 461 4930.
E-mail: sd@biblos.kiev.ua

Вы можете заказать наши книги:
в России («Книга — почтой»)
по адресу издательства:
197101, Санкт-Петербург, ул. Мира, д. 6, ИГ «Весь»,
или на сайте www.vesbook.ru

в Германии
+49 (0) 721 183 1212.
+49 (0) 721 183 1213.
atlant.book@t-online.de
www.atlant-shop.com

В Белоруссии
+10 (37517) 242 0752.
+10 (37517) 238 3852.

Отпечатано с готовых диапозитивов в ФГУП ИПК «Лениздат»
Федерального агентства по печати и массовым коммуникациям
Министерства культуры и массовых коммуникаций РФ.
191023, Санкт-Петербург, наб. р. Фонтанки, 59.

Сыну,
поддерживавшему меня,
скажу:
«Все в мире
возможно
при помощи любви».

Дети

Детей трудно воспитывать потому, что им нужно успеть
за короткое время научить нас очень многому.
Жаль, что для понимания этого мне понадобилось
целых пятнадцать лет.
Похоже, я упустил большую часть своего образования.

Эпиграф

Что, если после многих лет изучения так называемой древней мудрости вы обнаружили, что зашли в тупик? Казалось бы, вся информация на руках, но ничто не работает.

Тогда однажды, оставшись без работы и без денег, вы прибегаете к мозговому штурму.

Собираете вместе все, что узнали о медитации, ясновидении, внетелесных путешествиях и т. п. И решаете ментально отправиться в будущее, чтобы посмотреть результаты завтрашних спортивных состязаний. И, как раз когда начинают сыпаться деньги, вы натыкаетесь на себя из будущего.

Игнорируете его!

Тогда появляется другой вы из будущего, чтобы изменить прошлое, или, быть может, изменить будущее.

Как бы вы поступили, предложи вам ваше будущее «я» информацию о любви, столетиями хранившуюся в секрете? Информацию, с которой воплотятся в жизнь все ваши мечты. Вы бы отказались от легких денег?

Забирая домой эту книгу, вам тоже надо сделать выбор.

Клаус Дж. Джоул

Предисловие

Вы готовитесь отправиться в путешествие, которое большинство из нас считало возможным лишь в те редкие моменты, когда мы дерзали мечтать о невозможном.

За последние тридцать лет я прочитал море книжек, провел бесчисленные часы, занимаясь медитацией, визуализацией, обучаясь внетелесным путешествиям, но все время у меня было ощущение, что мне чего-то недостает. Тем более что через некоторое время начинает казаться, что все книги лишь по-разному пересказывают один и тот же материал. Ничего действительно нового.

Как-то в ноябре тысяча девятьсот девяносто пятого года, уволенный с работы и не собирающийся искать новую, я зашел к приятелю, который как раз занимался ставками на спортивные соревнования. Во время разговора о ставках и упущенных выигрышах меня посетила мысль. Я высказал предположение о возможности использовать подсознательный ум для того, чтобы заглянуть в будущее и узнать победителя. Он заявил, что я сумасшедший, что предсказать будущее невозможно, и привел в подтверждение два десятка аргументов. Мне стало очевидно, что он был тугодумом похлеще меня. Я же, чем дольше думал о своей идее, тем больше она мне нравилась. Ко времени, когда я добрался домой, основные черты идеи уже оформились у меня в голове. Нужно было найти такое состояние, в котором сознание и подсознание сходятся вместе и сотрудничают, а не остаются в своем обычном разделении. Звучит довольно просто, и так оно и есть, хоть мне и понадобилось время, чтобы выяснить все детали и разработать план действий. Взяв в библиотеке необходимые книги, я неделю-вторую пробовал различные варианты. Рассмотрев всю доступную информацию, из каждого источника я взял то, что необходимо. Вывод был такой: нужно войти в очень глубокое состояние медитации (или похожее на транс состояние ума), а затем переместиться в будущее, чтобы посмотреть результаты соревнований.

Это сработало, и очень быстро я начал выигрывать деньги. Делая небольшие ставки, я выигрывал небольшие суммы. Через некоторое время я сделал попытку научить этому методу своего приятеля, считая, что мы улучшим результаты, если сможем сравнивать наши ответы. Он испугался, заявив, что никоим образом не хочет участвовать в этой авантюре. Мои уговоры не действовали. Даже не будучи верующим, он утверждал, что, возможно, я преступаю какой-то космический закон и потеряю больше, чем выиграю. Как выяснилось, во вселенной нет такого закона против этого, но похоже, что у нее или у Всего Сущего был план. Не подозревая об этом, я стал его действующим лицом.

С этого все начиналось, но закончилось иным. Даже наука начинает признавать существование таинственной силы, которую мы называем любовью. На протяжении столетий слово «любовь» использовали для описания чувств и ощущений, но ничего не говорилось о невероятном источнике энергии, ответственном за питание всего, что нас окружает. Представьте, что бы вы могли сделать, зная, как получить доступ к этому источнику! Представьте, сколько смогли бы совершить значительных поступков! Но такой источник есть в каждом из нас от самого рождения. Столетиями информация об этом передавалась лишь единицам. Попытки выиграть в спортивной лотерее не имеют ничего общего с информацией о любви. Но они создали мотивацию, позволившую мне успокоить ум на время, достаточное для того, чтобы увидеть невероятные вещи, спрятанные у нас под носом.

Порой я задаюсь вопросом, готов ли к этой информации мир? Ответ содержится в многочисленных письмах, которые я получил и продолжаю получать. Они посланы людьми, восхищенными этой невероятной информацией, и тем, как быстро и эффективно она действует.

Кроме того, я беспокоился, что этой информацией могут воспользоваться для злых целей, и, похоже, некоторые уже попробовали. Предупреждение: энергия любви обладает сознанием и понимает, что именно вы хотите совершить. Видимо, поэтому она и действует так превосходно.

История, которую вы сейчас прочтете, правдива, насколько я был способен пересказать ее. Насколько я знаю, информация, которую вы откроете для себя в этой книге, никогда ранее не обнародовалась. Несмотря на то, что авторы многих книг упоминают о силе любви, ни в одной из них вы не найдете указаний, как использовать энергию любви для воплощения в жизнь вашей мечты и вашей любви.

Если вы устали перечитывать в книгах один и тот же немного измененный материал и готовы сделать следующий шаг, то продолжайте читать эту книгу дальше. Вы откроете малоизвестную неожиданную невероятную тайну о любви. Если вы человек, перелистывающий множество книг в поисках того, что позволит продвинуться вперед, то в этой книге вы найдете то, что искали. Мы все искали эту информацию.

Со всей моей любовью,
Клаус Джоул

Полемическое заявление автора

Предлагаю вам взять из этой книжки то, что вам подойдет, а остальное оставить.

Похоже, что только лишь появившись на этой планете, мы начали уничтожать друг друга. Мы отправляемся на войну и тысячами убиваем себе подобных. Нападаем на тех, кто слабее, и забираем их вещи. Убивали и будем убивать других, чтобы завладеть тем, чего захотели. Случалось, что при этом убивают и нас самих. Половина земного шара живет в мире, в то время как другая половина воюет. Даже помогая тем, кто сам не в силах защититься от агрессора, мы становимся агрессором. Столетиями нас учили, что агрессию можно остановить, лишь дав ей бой. И это стало порочным кругом. Некоторые прилагают все силы, чтобы жить мирно, но это заканчивается тем, что на них нападают с целью отобрать нажитое. В нас живет страх того, что с нами могут сделать окружающие. Замки на дверях, сигнализации в машинах — ничто не спасает. Но есть другой путь. Приведу вам пример.

При прежних хозяевах дом, в котором я живу, грабили пять раз за семь лет. Пять раз дом разоряли и выносили из него вещи. Но я живу здесь в мире уже долгое время (хоть этого и не скажешь о моем соседе). У меня нет сигнализации, двери и окна никогда не запираются. Я не закрываю на ключ дверь машины, мой гараж всегда открыт, а инструменты лежат у всех на виду. Ну, разве что, под разным хламом. Даже уезжая, мы ничего не закрываем, а когда возвращаемся, все вещи лежат на своих местах. Последний раз я видел ключи от дома, когда въезжал в него. Большинство посчитает, что я поступаю глупо и призываю неприятности на свою голову. В обычной ситуации я бы согласился с вами, но вы еще не познакомились с информацией, содержащейся в этой книге, и не знаете своих возможностей.

Было время, когда я, подобно многим, считал, что Бог поместил нас на землю, не дав нам сил творить рай на земле. Но со временем я понял, что это было бы бессмысленно. Тогда я еще не знал, в чем эта сила, и как до нее добраться.

Смешно одновременно верить в то, что Бог создал нас бессильными создать рай на земле, и в то, что мы — частицы Бога. В то, что мы бессильны остановить тех, кто разрушает все на своем пути. Это смешно, в этом нет истины. Истина в том, что мы действительно обладаем силой, она находится внутри нас, ожидает, когда мы ее востребуем. Эта сила — любовь, и нам не нужно насилием защищаться от насилия по отношению к себе.

Пусть вас не введет в заблуждение ни слово «любовь», ни его привычные определения — ибо именно так и скрывалась от нас важная информация. Поразительно, как поработали с этим словом, чтобы гора показалась маленьким прыщиком! Большинство согласится, что любовь — одна из самых могущественных энергий во вселенной, но что же дальше? Различными способами нас обучили (а во многом и мы сами себя обучили) тому, что любовь — это лишь чувство, некая невещественная сила — но это неправда. Любовь — гораздо большее, и с ее помощью можно делать очень многое. Наилучший способ спрятать что-либо — это придать ему безликость, расплывчатость, сделать его смешным. Наша вселенная — система ни закрытая, ни самообеспечивающаяся. Она нуждается во внешнем источнике энергии, а это именно то, что мы зовем любовью. Задумайтесь — создатель всего создал и нас; и он дал нам силу творить рай на земле. Разве не логично?

Многие боятся того, что готовит будущее им и их детям. Не могу обвинять их, но, прочитав эту книгу, вы согласитесь, что единственное, чего стоит бояться, —

это не открыть для себя эту информацию и не быть в состоянии передать ее нашим детям.

Я научился медитации и другим замечательным умениям, которым нас обучили духовные исследователи с Востока и из Тибета. И меня всегда волновал вопрос, почему после пятисот лет занятий медитацией тибетцы были вынуждены спасаться бегством, покидая страну, и оставить свой народ терпеть порабощение, пытки и убийства? Ни в коей мере не желая умалить их заслуг, я лишь указываю, что, видимо, что-то было упущено. И они, и мы упустили что-то важное, что могло бы сохранить мир. Если вы занимаетесь улучшением мира, но не в состоянии обеспечить вашу и ваших детей безопасность, то вам чего-то не хватает. Что-то в этой картине неправильно. Мы ожидаем, что Бог придет и своим вмешательством все исправит, но он даровал нам свободу воли и дал нам силу защитить себя, не нанося никому вреда. Я знаю, что это громкое заявление, — но его подтверждают авторы бесчисленных писем, ставших очевидцами того же чуда, что и я.

Я не являюсь верующим, если не подразумевать под этим веру в то, что существует нечто, большее, чем я, способное любить сильнее, чем я.

Ребенком, как и многие из вас, я посещал воскресную школу. Но у меня было ощущение, что чего-то не хватает. Например там, где Иисус учит подставить вторую щеку, — там явно чего-то недостает. А недоставало вот чего: «Пошли им любовь, наполни их любовью, от этого они остановятся», ну, и еще инструкции, как эффективно посылать любовь. Если подставить вторую щеку — такое эффективное решение, то почему бы не последовать дальше и не дать еще чего-нибудь ворам, ограбившим ваш магазин или квартиру? Если этот метод так хорошо работает, то отчего церкви запирают на ночь? Смысл указания «подставь вторую щеку» в том, чтобы не давать сдачи, но часть информации здесь отсутствует. Информации о том, как работать с любовью, как активировать этот невероятный источник энергии, что даст возможность не только защитить себя, но и изменить угрожающего вам человека, и не бояться жить жизнью, о которой вы мечтаете.

Предположим, вы живете в местности, где нет водоемов, и вы никогда не видели бурильного оборудования. В таком случае, даже имея веру, что где-то тут есть вода, вы все равно умрете от жажды. Ведь, если не знать, что такое бурильное оборудование и как им пользоваться, то оно будет лишь без пользы лежать на складе — как любовь внутри нас. Пусть любовь — самая мощная известная нам сила; пусть ею можно изменять нашу жизнь, воплощать мечты, создавать счастье, безопасность, любовь и радость; но она бесполезна, если мы не знаем, как ею пользоваться и где ее достать.

Я бы испугался, если бы речь шла не о любви, а о чем-то ином, но любовь обладает сознанием и не причинит зла. Продолжайте читать, сделайте это открытие для себя — вашему изумлению не будет границ.

Информацию, которую я вложил в эту книгу, вы не найдете больше нигде, но это быстро изменится. Написав первый вариант книги, я поместил ее текст на вебстраничке, чтобы посмотреть, насколько она интересна и понятна другим, ибо некоторые вещи трудно выразить словами. Реакция была поразительной. Читатели сообщали, что это — «недостающее звено», и что они изумлены результатами. Спасибо всем вам за поддержку!

Если вы относите себя к эзотерикам или целителям, или, по крайней мере, хотите ими стать, тут вы найдете необходимую информацию. С ее помощью вы сможете сделать следующий шаг.

Прошу прощения у тибетцев, если приведенный мною пример их обижает, но уже настало время наполнить мир энергией любви, энергией, в которой он так нуждается.

Я обращаюсь к тем двум тибетцам, которые, в числе немногих, владели этой информацией, но продолжали держать ее в тайне. Время пришло, пора сообщить людям, что в них скрыто основанное на любви могущество, и пора высвободить его.

Человечеству пора обрести возможность жить в мире без страха, жить в мире, где можно воплощать свои мечты. Вы достигли многого — можете жить очень долго, не нуждаетесь в пище и еде, можете становиться невидимыми. Но вы забыли, как живется под чужим кулаком тем, кого убедили в собственной беспомощности. У вас были свои причины, но в моем понимании и в свете того, что творится в мире, эти причины недостаточны для того, чтобы продолжать держать это знание в тайне. Тут нам с вами не достичь согласия. И вы знали, что это время приближается. Я живу в безопасности, и теперь другие тоже смогут себе это позволить.

Обращаюсь к тем, кто верит в Бога. Он дал вам силы создать рай на земле, и если вы воспользуетесь его даром, то он придет на землю, или, возможно, появится уже через мгновение. Подумайте, учите ли вы своих детей жизненным навыкам, или делаете за них все сами? Если вы пропустите эту информацию мимо только потому, что она исходит от неизвестного автора, а не от первосвященника, это будет вашим выбором. Бог дал вам право и способность творить задуманный им мир.

Возьмите себе то, что вам понравится, а остальное оставьте другому, кому оно придется по душе. Как и должно быть.

Обращаюсь к тем, кто мне пишет. Прошу прощения за то, что вы, вероятно, получаете лишь короткие ответы от меня. Времени слишком много и слишком мало. Вся информация содержится в этой книге. А также рассказ о том, как я ее нашел, как с ней работать, чего ожидать, и описание некоторых происшедших со мной ситуаций. Этот рассказ и моя любовь — вот все, что я могу вам дать. Хватайте информацию и убегайте! Оглянитесь назад через два года — и будете изумлены тому, чего удалось достичь. Мы все будем изумлены. В конце книги я поместил ответы на некоторые вопросы, с которыми ко мне часто обращаются читатели. Надеюсь, вам это поможет.

Со всей моей любовью к вам
в вашем путешествии!
Клаус Дж. Джоул

Глава 1

Стояло начало зимы. Обычно в эту пору довольно холодно, но год выдался теплым, и на дворе было почти как летом. День был пасмурным, и собирался дождь.

Я сидел дома и пытался писать эту книгу, но не мог решить, как рассказать свою историю. Я не писатель и раньше ничего не писал. Хоть мне и удалось за несколько часов составить план и сделать несколько зарисовок, сдвинуться дальше первой страницы не получалось. Было трудно найти слова, чтобы рассказать о событиях двухлетней давности, которые навсегда изменили мою жизнь. В конце концов, я сдался и решил поехать в город.

Оставив машину в месте, где можно было не платить за стоянку и не получить при этом штрафа, я отправился по своим делам. Набегавшись по городу, я заглянул к приятелю Генри.

Не нужно много усилий, чтобы уговорить Генри пойти выпить, и уже скоро мы сидели в маленьком тихом баре под названием «У Гая», где и провели несколько часов, пока не подошло время возвращаться домой. На улице как из ведра лил дождь, что было очень необычно для этого времени года, не говоря уже о том, что такие ливни редко бывают в Калгари.

Зная, что промокну до нитки, я все же перебегал от одного навеса к другому — это был один из странных, не имеющих смысла поступков, которые мы порой совершаем. Уже стемнело, и из-за дождя было трудно что-либо разглядеть вокруг. Я стоял под небольшим навесом, пытаясь сориентироваться. Осмотревшись, понял, что стою на маленькой веранде, похожей на веранду жилого дома. В его окне мигала лампочками вывеска «Бар Нины».

Я подумал, что не помню, чтобы видел этот бар раньше. Все строение было около четырех с половиной метров шириной и казалось втиснувшимся между двумя огромными домами. Я вошел внутрь. В баре были два посетителя и бармен. Справа была небольшая барная стойка длиной около трех метров, у нее сидела блондинка с длинными вьющимися волосами и разговаривала с барменом. Слева было несколько столиков, и за одним из них сидел мужчина в шляпе. Я прошел к бару и сел через один табурет от блондинки.

Она повернулась ко мне и спросила:

— На улице все еще льет?

— Пуще прежнего, — ответил я и почувствовал, как мурашки пробежали вверх по позвоночнику.

— Что будем пить? — спросил бармен.

— Шотландское виски со льдом, — ответил я.

Я посмотрел на свои мокрые брюки и подумал, что нужно было зайти куда-нибудь в другое место и выпить горячего какао. Посмотрев вокруг, я спросил себя, зачем вообще зашел сюда? Это заведение было каким-то странным.

— Налей ему хорошего виски, Денни, — сказала блондинка, прерывая мои мысли.

— О'кей, — отозвался бармен.

Я неуверенно улыбнулся, подумав о том, что это обойдется мне в копеечку.

— Не волнуйтесь, это за счет заведения, — сказала блондинка, как будто услыхав мои мысли.

— Спасибо, — ответил я, приятно удивившись. Быстро взглянув на нее, я подумал, что на пальцах одной руки могу пересчитать все случаи, когда я слышал такое заявление.

Одного взгляда было достаточно, чтобы понять, насколько она красива. Длинные светлые волосы вились мягко, как шелк. Застеснявшись, я отвел взгляд и занял его продолжением осмотра помещения, странного, но одновременно домашнего и безопасного.

Бармен поставил передо мной стакан с виски. Льда в стакане не было. Я уже было открыл рот, чтобы что-то сказать, но заметил, что он все еще не выпускает стакан из руки.

— У нас нет какао, но я могу подогреть вам виски, — сказал он быстро.

— Горячий виски, не слыхал о таком! — я взглянул на него из-под бровей.

— Неплохая вещь, попробуйте, — посоветовала блондинка.

— Почему бы и нет? — согласился я, так как люблю пробовать все новое.

Вода капала с моих мокрых волос на лицо. Я собрался спросить, где туалет, как бармен протянул мне полотенце.

— Спасибо.

Я вытер лицо и волосы и, кладя полотенце, заметил боковым зрением, что блондинка пересела на табурет рядом со мной. Это заставило меня немного занервничать. Я не посмотрел на нее, а стал рассматривать подогревающего мой виски бармена и ждать, когда он подаст мне напиток. В баре стояла напряженная тишина, не было ни музыки, ни звуков радио, что было очень необычно. «Похоже, впереди еще одна странная ночь», — подумал я про себя.

Бармен поставил передо мной виски и отступил, ожидая моей реакции. Я поднял стакан, хорошо осознавая, что четыре глаза глядят на меня, и сделал глоток.

— Вот это да, оно испаряется, еще не дойдя до желудка, но довольно вкусно, спасибо.

Мы встретились глазами в тот момент, когда она улыбнулась, — это была моя ошибка. Ее глаза были подобны океану, отражающему луну и звездное небо. Я растерялся и отвел взгляд. Бармен Денни стоял в нескольких метрах, моя стаканы. Я тихо сидел, глядя перед собой, и грел руки о стакан горячего виски.

В тишине ум вернулся к мыслям о книге. Может, пойти на курсы писателей? Или, лучше, вообще оставить эту затею? Последняя мысль принесла мне временное облегчение.

— Кстати, меня зовут Ниной.

Я чуть не пролил свой виски. Бывает, что я глубоко ухожу в свои мысли, и тогда меня нужно медленно возвращать в бренный мир.

— Простите, я не нарочно испугала вас, — Нина протянула свою руку.

— Ничего. Меня зовут Клаусом.

— Приятно познакомиться, Клаус! А этого симпатичного джентльмена за стойкой зовут Денни.

— Привет, — кивнул я ему головой.

— Почему вы хмуритесь? — поинтересовалась Нина.

— Не знал, что я хмурюсь.

— Проблемы с девушкой?

— Нет. — Я отпил теплого виски.

— Лучше расскажи, она все равно не отстанет, — улыбнулся из-за стойки Денни.

— Ну, это длинная история, — сказал я, качая головой.

Нина наклонилась вперед и посмотрела на меня одним из тех, «у нас впереди целая ночь», взглядов. Занервничав, я сделал большой глоток из стакана.

— Денни, принеси Клаусу еще стакан виски, — попросила Нина.

— Вообще-то, мне пора домой! — произнес я вслух, в то время как другая часть меня сказала: «Да, еще один, пожалуйста!» Одна из фраз явно исходила от нетрезвого человека.

Денни не обратил внимания на то, что я сказал, и стал наливать мне следующий стакан.

— Ну же, Клаус, сними груз с сердца, расскажи нам все как есть, — потребовала Нина, почти вплотную придвигая свое лицо к моему и явно заставляя меня встретиться с ней глазами.

Часть меня сказала: «Подними глаза, ты, трус».

— Клаус!.. — громко произнесла Нина.

Я почувствовал удар кулака по руке, который прервал мои мысли.

— Что? — я был немного раздражен тем, что незнакомка ударила меня.

— Давай, выкладывай, что там у тебя! — скомандовала она.

Посмотрев в ее глаза, я задумался, сколько же шпаг были выхвачены из ножен, чтобы драться за эти глаза? Мои губы начали говорить, опережая мысли. Как я этого не люблю!

— Я пытаюсь написать книгу о недавних событиях, но не имею ни малейшего представления о том, как писать, ни даже о том, с чего начать. Увяз в этом с головой, — сказал я, зарекаясь заглядывать в эти глаза.

— И о чем книга? — спросила Нина. Денни в этот момент поставил передо мной следующий стакан.

— Она об ангелах, то есть больше о любви. Пожалуй, о жизни, смысле жизни. Все-таки, больше о любви... — я жалел, что не зашел в какое-нибудь другое заведение.

— О, это интересно! И что же это за недавние события? — Нина была явно очень настойчива.

Я покачал головой.

— Знаешь, это длинная и очень странная история.

Денни засмеялся.

— Странно будет, если ты выберешься отсюда, не рассказав Нине своей истории.

Я снова отрицательно покачал головой.

— Даже не знаю, с чего начать.

Я задумался на минуту. В общем-то, мне не терпелось рассказать кому-нибудь свою историю. И сейчас — прекрасная возможность сделать это, принимая во внимание, что с этими людьми мы встретились в первый и последний раз. Но с чего же начать?

— Начни с самого начала, — прервала мои размышления Нина. Денни оперся о стойку и приготовился слушать. Он явно наслаждался происходящим.

— Предупреждаю, это очень странная история, — сделал я последнюю попытку.

— Мы все внимание, — Нина сияла от своей победы.

«Вижу», — подумал я про себя, а вслух произнес:

— Ладно, дайте мне минутку, чтобы собраться с мыслями.